C000176049

GUIDE DES ÉGARÉS

JEAN D'ORMESSON
de l'Académie française

GUIDE
DES ÉGARÉS

GALLIMARD | ÉDITIONS HÉLOÏSE D'ORMESSON

*Il a été tiré de l'édition originale de cet ouvrage
quatre-vingt-dix exemplaires sur vélin rivoli
des papeteries Arjowiggins numérotés de 1 à 90.*

Mode d'emploi

Le titre de ce manuel de savoir-vivre à l'usage de ceux qui s'interrogent sur les mystères du monde, je l'ai emprunté à Maimonide, philosophe et médecin juif né à Cordoue, alors musulmane, au temps de Philippe Auguste, de saint François d'Assise, de l'empereur Frédéric II et de Saladin, il y a un peu moins de mille ans.

Aujourd'hui comme hier, nous sommes tous des égarés. Nous ne savons toujours pas ce que nous voudrions tant savoir : pourquoi nous sommes nés et ce que nous devenons après la mort. Derrière les accidents de notre vie de chaque jour qui suffisent à nous occuper, les motifs et le sens de notre passage sur cette planète que nous appelons la Terre nous restent très obscurs.

Les pages qui suivent constituent un essai de réponse à la question : Qu'est-ce que je fais là ?

L'ÉTONNEMENT

Je suis là. J'existe. Vous êtes là. Vous existez. Nous sommes là. Nous existons. Ne chipotons pas. C'est un étonnement. C'est une stupeur. Mais c'est comme ça. Nous participons tous ensemble, sans avoir rien demandé, à une évidence fragile, lumineuse et confuse à laquelle nous tenons plus qu'à tout en dépit du mal qu'il nous arrive d'en dire : la vie.

Autant que nous sachions et au moins jusqu'à aujourd'hui, cette vie, qui est notre bien le plus précieux, se déroule sur une planète privilégiée et banale, fraction minuscule et franchement risible de l'immense univers.

LA DISPARITION

Sur cette Terre où nous vivons, tout se hâte
de disparaître. C'est la règle. Personne n'y peut
rien. Le temps s'en va, les années s'en vont,
la vie s'en va, et nous nous en allons. Rien ne
dure. Tout passe. Sans la moindre exception.
Nos bonheurs, nos chagrins, nos habitudes, nos
croyances, nos langues, nos civilisations. Notre
Terre n'est qu'une longue ruine, et elle passera
tout entière. Et aussi notre Soleil et notre galaxie.
Et l'univers ? Longtemps, les hommes ont cru
que l'univers était éternel. Mais vers le début du
siècle dernier, par le calcul et l'observation, plus
près de la Genèse que de la plupart des philosophes, la science a découvert qu'à la façon de la vie
l'univers aussi avait une histoire. Il a eu un début
et il aura une fin. Il passera comme les hommes.

L'ANGOISSE

À la question : « Qu'y a-t-il après notre mort ? » comme à la question : « Qu'y avait-il avant le début de l'univers et qu'y aura-t-il après sa fin ? » plusieurs réponses s'opposent et aucune ne s'impose.

La première : il n'y a rien.

La deuxième : il y a autre chose – par exemple une infinité d'histoires, d'univers et d'esprits.

La troisième : il y a Dieu.

Et ces trois réponses, qui nous divisent si fort, ne sont peut-être pas incompatibles. Vous pouvez soutenir par exemple que, radicalement différent de tout ce qu'il nous est permis d'imaginer ou de concevoir, Dieu tire le monde de rien – c'est-à-dire de lui-même où le tout et le rien sont à jamais confondus.

Entre le début et la fin, sur la nature, les hommes, la marche des événements, nous savons presque tout – et en tout cas de plus en plus. Avant le début et après la fin, c'est une autre histoire. Nous ne savons rien. Nous ne pouvons rien savoir.

Un vide. Une angoisse. On dirait un secret.

LE SECRET

Enfermés dans le temps, dans l'histoire, dans notre vie, dans le monde, nous avons le droit d'imaginer, avec incertitude et dans le vague, ce qu'il y avait avant et ce qu'il y aura après. Nous ne pouvons rien en dire d'incontestable ni de définitif. À nous, les égarés, l'univers, le temps, l'histoire, le sens de notre vie apparaissent comme un secret.

Tout secret suppose une vérité retenue et cachée. Successeur d'une multitude de forces magiques, puis d'une flopée de déesses et de dieux à la généalogie compliquée. Dieu a longtemps été le détenteur et le garant de cette vérité dissimulée. Mais beaucoup, depuis un siècle ou deux – et même avant, en moins grand nombre –, se demandent s'il existe. Beaucoup assurent que non. Voir un secret dans l'univers serait préjuger Dieu.

L'ÉNIGME

Est-il alors permis de parler d'une énigme ?
Mais, par définition, toute énigme a sa solution.
Peut-être n'y a-t-il pas de solution au problème
posé par l'univers et par notre destin ? Il n'est
pas impossible que le monde soit absurde, que
tant de bien et tant de mal, tant de souffrances,
tant de bonheurs, tant de beauté et d'amour
tombent à jamais dans le néant et l'oubli et que
la vie, qui nous est si chère, n'ait pas le moindre
sens.

LE MYSTÈRE

Plutôt qu'un secret ou une énigme, l'univers est un mystère et notre vie est un mystère. Et il nous est interdit de percer ce mystère.

Que faire ? Peut-être vaudrait-il mieux en prendre notre parti ? À quoi bon nous débattre ? Renonçons à connaître ce qu'il nous est impossible de connaître. Fermons les yeux. Profitons d'une existence qui est une sorte de miracle. Soyons heureux.

Une voix venue nul ne sait d'où et qui ne se lasserait jamais nous souffle pourtant en silence que ce n'est pas tout d'être heureux. Nous ne sommes pas là pour rigoler. Ou pas seulement pour rigoler.

Mais alors pour quoi ? Seulement pour passer le temps ? Seulement pour nous ruer, pieds et poings liés, dans les charmes puissants et amers de ce « divertissement » dénoncé par Pascal ? Seulement, dans le meilleur des cas, pour essayer de grappiller des bribes du peu toujours changeant et déjà dépassé qu'il nous est permis de savoir ?

LES NOMBRES

Comment jeter un peu de lumière sur le mystère dont nous sommes prisonniers ? Sur quoi compter pour résoudre les problèmes qu'il nous pose ? *Compter, problèmes, résoudre.* La réponse est dans la question : sur les nombres.

Dans ce monde éphémère où règnent le changement et la précarité, les nombres semblent apporter une sorte de nécessité et presque d'éternité. Tout passe. Rien ne dure. Mais, dans un triangle, le carré de l'hypoténuse est égal, a toujours été égal et sera toujours égal à la somme des carrés des deux autres côtés. Et les trois angles du triangle valent à jamais deux droits. Du coup, de grands esprits ont pu soutenir que les nombres étaient antérieurs à la pensée des hommes et même à la Création :

« *Dum Deus calculat fit mundus*. Dieu calcule et le monde se fait. »

Qui peut croire pourtant qu'il y ait des nombres hors de l'espace et du temps ? Avant l'explosion primordiale d'où sort notre univers, avant le mur de Planck qui le protège de notre curiosité comme dans l'éternité où chacun de nous sera plongé après sa mort, il n'y a ni formes ni couleurs, ni grand ni petit, ni long ni court, ni haut ni bas. Il n'y a rien. Ou du moins rien que nous puissions connaître. Il n'y a pas de nombres.

Les nombres – comme tout le reste – ne prennent un sens qu'avec les hommes, chez les hommes, grâce aux hommes. La Terre est minuscule, mais les hommes sont puissants. Les nombres leur permettent d'explorer et de comprendre le monde. Il n'y a pas de formule de l'univers, mais, s'il y en avait une, elle serait mathématique.

Les nombres ne servent pas seulement à calculer. Sous les espèces de la quantité, ils permettent de distinguer et d'unir. Ils sont le socle, le ciment et peut-être le sens de tout – et du Tout.

Avant et après notre monde, il ne suffit pas

de dire que toutes les vaches sont noires : il n'y a pas de vaches du tout. Pas question de les compter. Dans le rien, tout est confondu. Dans le monde où nous vivons, en revanche, il n'y a pas seulement des vaches, mais des objets, des individus, des idées, des sentiments distincts les uns des autres et que nous séparons ou rassemblons grâce aux nombres. Il y a un Soleil, nous avons deux yeux, la plupart des trèfles ont trois feuilles, l'année compte quatre saisons, nous avons cinq doigts à chaque main. Le monde n'est que rencontres et combinaisons.

Surgissant d'un rien qui ne se distinguait pas du tout, notre tout à nous, immense mais limité, durable mais passager, aurait pu prendre les visages les plus divers et les plus invraisemblables. Livré aux nombres qui règnent sur lui, il est une collection dans l'espace et une succession dans le temps.

LA SCIENCE

Appuyée sur les nombres qui constituent à la
fois la matière de ses investigations et son instrument de travail, la science, sous des noms
divers, déchiffre l'univers dans l'espace et le
temps. Elle monte très haut dans l'infiniment
grand, elle descend très bas dans l'infiniment
petit. Entre ces deux extrêmes, qui se répondent
l'un à l'autre, elle explore ce que nous appelons
le monde réel – c'est-à-dire le nôtre. Presque
tout ce que nous savons de l'univers et de nous
– presque tout, mais pas tout – vient des nombres
et de la science.

Grâce aux nombres, la science contribue à
construire un avenir qui n'existe pas encore
et elle remonte dans un passé évanoui qu'elle
reconstitue jusqu'à le recréer. Au bout de ce

long chemin dans un passé qui n'est pas mort et qui n'est même pas passé puisqu'il revit sous nos yeux, ou plutôt dans nos cerveaux, elle tombe sur l'origine d'une réalité très concrète, qui nous est familière et qui n'a pas toujours existé : l'espace.

L'ESPACE

L'origine de l'espace où se déploie l'univers
a quelque chose de fabuleux. Elle a toujours
agité l'esprit inquiet des hommes. Des innombrables populations primitives à la Mésopotamie
et à l'Inde, de l'Égypte des pharaons à la Grèce
d'avant Socrate et à la Rome des rois, de la Répu-
blique et des Césars, les généalogies les plus
folles ont tenté de fournir une image des débuts
de l'univers. Ce ne sont que potiers, déluges,
incestes entre divinités, entassements de tor-
tues, crimes de toute espèce, anges, démons,
prodiges, fleurs de lotus, délires. Il faut bien
reconnaître qu'en matière d'invraisemblance et
de romanesque historique aucune imagination
n'arrive à la cheville de ce que la science nous
apprend. Sous la forme d'un point des millions

de fois plus minuscule qu'un grain de sable ou un atome, l'espace surgit du néant ou d'autre chose, on ne sait pas, à la faveur d'une explosion. Et pour plus de sûreté, pour bien boucler l'affaire, pour l'enfermer à double tour et la soustraire à la curiosité de la science au nom de la science même, une barrière infranchissable en interdit l'accès.

Dès sa naissance aussi peu vraisemblable que celle des dieux de l'Olympe, de l'Euphrate ou du Nil, l'espace ne cesse de croître et de se développer. Nous connaissons son passé. Nous ignorons son avenir parce que nous ne savons pas si son expansion se poursuivra jusqu'au bout ou finira par s'inverser. Ce qui est sûr en tout cas, c'est que l'univers qu'il contient et avec lequel il se confond disparaîtra sans recours, soit dans un froid extrême soit dans une fournaise – et plutôt, semble-t-il, dans les glaces. L'espace a eu un début et, tonnerre et damnation, lui aussi aura une fin.

En attendant cet heureux événement, qui mettra enfin un terme à nos tourments et à nos questions, l'espace abrite tout ce qui existe. Tout ? Pas si sûr. Il semble bien que la pensée, les passions, les sentiments, l'amour, tout ce qui passe pour le propre de l'homme et qui naît dans l'espace, échappe pourtant à l'espace. Tout le reste, et le cerveau lui-même, siège de toute pensée et de toute représentation du monde et de nous-mêmes, appartient à l'espace sous le nom de « matière ».

LA MATIÈRE

La matière, c'est presque tout. C'est les choses. Les choses que nous pouvons voir et toucher, peut-être écouter et sentir. Les choses qui nous résistent. Les choses qui sont solides. Enfin... plus ou moins solides. Il y a une foule de choses que nous ne pouvons ni voir ni toucher et qui sont pourtant de la matière. Des milliards d'étoiles lointaines et de particules minuscules échappent à notre regard. Elles existent pourtant et, en groupe ou séparément, elles portent des noms poétiques qui invitent à la rêverie : d'un côté, Andromède ou Bételgeuse ; de l'autre, quarks, wings, neutrinos qui défient toute logique et dont la masse, réduite à presque rien, ou à rien, se joue de tous les obstacles et traverse le marbre, l'acier ou le béton.

L'infiniment grand et l'infiniment petit encadrent des variétés inépuisables de matière. Au-delà ou en deçà, il y a une « matière noire » et une « énergie noire » dont nous ne savons presque rien – sauf qu'elles constituent, de très loin, l'essentiel de notre univers. Toute une immense partie du monde, et même de cette matière qui est la réalité même – ou ce que nous appelons la réalité –, nous demeure inconnue.

L'AIR

L'air est un des avatars les plus subtils de la matière. Tellement subtil qu'il semble se complaire dans une espèce de modestie assez proche de l'absence. Nous ne le voyons pas. Sauf quand il se lève en tempête sur les injonctions d'un romantisme en transes et de Chateaubriand, nous ne l'entendons pas. Nous ne pouvons pas le toucher. On dirait qu'il n'existe pas. Mais nous le respirons.

Pour une raison ou pour une autre, habitude, hasard, nécessité mystérieuse ou volonté venue d'en haut, obligation nous est faite de l'inhaler sans cesse avant de l'exhaler. Le plus clair – ou le plus obscur – de notre temps, nous le passons à inspirer de l'air et à l'expirer. Nous pouvons vivre – plus ou moins bien – sans livres, sans rêves, sans idées, sans amour. Nous ne pouvons pas nous passer de l'air que nous respirons et que nous ne voyons pas. Il n'y a pas de vie sans air. Lorsque notre fin arrive, nous rendons le dernier soupir et nous expirons à jamais.

Plus que le cheval, le chien, le chat, plus que l'être que nous aimons, l'air est notre compagnon le plus fidèle. Il nous colle au corps. Il ne nous quitte jamais. Il n'est pas impossible de faire le vide. Alors tout disparaît – et l'air comme tout le reste. Et quand l'air se retire, la vie se retire aussi. Dans le vide, il y a encore de l'espace, mais il n'y a plus de vie. Nul ne peut vivre dans le vide. Des liens étroits se sont tissés depuis longtemps entre l'air et la vie.

L'EAU

Plus familière et plus présente que l'air toujours absent, l'eau est aussi plus étrange et plus paradoxale. Elle n'a ni forme ni couleur, mais nous pouvons la voir. Elle n'émet aucun son, mais nous écoutons volontiers sa musique et ses plaintes. Nous pénétrons parfois dans son invraisemblable texture, mais le plus souvent c'est elle qui nous pénètre pour s'installer chez nous où elle règne en maîtresse. À sa forme si instable et secrète jusqu'au miracle nous donnons le nom de « liquide ».

Matière inconstante et fugace, sans la moindre solidité, n'offrant aucune résistance, l'eau est pourtant très capable, dans sa colère, de détruire et de tuer. Elle est la source et la condition de toute vie et, comme l'air, et plus que l'air, elle est une meurtrière impatiente de frapper et de semer la mort.

Assassin en puissance, l'eau est aussi une séductrice, toujours prête à sourire et à jouer avec nous. Elle entretient avec les humains les liens les plus étroits et les plus affectueux. Je l'ai beaucoup aimée. Et, dans le triomphe de l'été, j'ai chanté bien souvent sa grandeur et ses charmes.

Elle règne sur la géographie, sur l'histoire, sur l'anthropologie, sur la biologie. Elle tombe du ciel. Elle jaillit de la terre. Elle couvre la majeure partie de notre petite planète dont elle assure la vie, la puissance et la gloire.

Les continents, les ports, les plaines qu'elle traverse et arrose, le commerce, la santé doivent beaucoup à ses pouvoirs. Sous les noms d'océans, de mers, de golfes, de baies, de criques, de fleuves et de rivières, de torrents, de cascades, de ruisseaux et de lacs, elle a forgé ce que nous sommes avant de proférer contre nos navires, nos côtes, nos moissons, nos maisons du bord de l'eau les menaces les plus redoutables.

Les hommes n'ont jamais cessé de se jeter vers elle en poussant des cris de joie qui sont passés dans l'histoire et que répètent encore les enfants qui jouent avec le sable. Ils n'ont jamais cessé non plus de la craindre, autant que les dragons, les Peuples de la Mer, les Turcs, ou cette peste à qui elle a longtemps servi d'instrument et de transport.

Des villes entières, des États, des cultures, des civilisations lui ont dû presque tout. Elle est à l'origine de métiers innombrables, de grandes passions, de petits plaisirs, de chefs-d'œuvre immortels. Elle a inspiré les marins, les poètes, les peintres, les amants, les historiens, les assureurs, les têtes brûlées, les aventuriers. Elle a été et sera à la source de beaucoup de rêves, de conquêtes et de guerres. Elle se confond avec le monde et avec notre vie dont elle a permis la naissance et le développement.

L'eau ! L'eau est une déesse autrement puissante que les empereurs et les rois qui lui doivent leur fortune ; que toutes les civilisations qui, du Tigre et de l'Euphrate au Danube et au Nil, et de la Méditerranée, notre mer intérieure, au terrifiant océan, se sont construites autour de ses pouvoirs ; et même que l'ensemble des hommes qui n'existent que par elle, avec elle et grâce à elle.

LA LUMIÈRE

Montons encore un peu, pauvres et chers égarés, vers quelque chose de beaucoup mieux, de
plus grand, de plus beau que cette eau et cet air
pourtant déjà si séduisants. Dans cette ascension
vers un inconnu peut-être inconnaissable, il y a
d'abord la lumière.

La lumière est faite de corpuscules et d'ondes
qui vont très vite – et même plus vite que tout.
Dans sa complication d'une parfaite simplicité,
c'est une curieuse mécanique qui est unie au
temps par des liens très étroits.

La rumeur, qui aurait rempli de stupeur Aristote ou Descartes, s'est peu à peu répandue : la
lumière fait en une seconde sept fois le tour de
la Terre. Il lui suffit d'une seconde pour arriver de la Lune. Et elle met huit minutes pour

nous parvenir du Soleil, notre père à tous, qui est beaucoup plus loin. Nous commençons à le savoir, et rien ne nous semble plus évident : parce qu'il lui faut du temps pour parcourir le chemin qui va de sa source à son but – très peu de temps, bien sûr, mais un peu de temps tout de même, et de plus en plus de temps à mesure que la distance augmente –, nous voyons des étoiles qui sont mortes depuis longtemps. La lumière transporte du passé.

Elle nous donne surtout du présent. Tout le présent. Tout ce monde réel que j'ai regardé avec passion. Nous ne voyons les arbres, la mer, les îles du Dodécanèse, les astres dans le ciel, les champs de lavande au printemps, les objets de chaque jour, le visage des êtres aimés que parce que la lumière nous les offre. L'air nous a étonnés. L'eau nous a émerveillés. La lumière, pour nous tous, est un enchantement. Et, pour beaucoup, un don de Dieu et la marque de sa présence – ou de son absence : le propre de Dieu est de confondre en lui la présence et l'absence.

La lumière n'est peut-être rien d'autre que le premier et le plus simple de nos bonheurs. Vivre, c'est découvrir la lumière du matin. Avec la ferme confiance, qui n'a même pas besoin de s'exprimer, de la voir encore se lever sous nos yeux dans les jours qui vont venir. Oh ! nous savons désormais, à la différence des Anciens, que l'histoire, le temps, l'univers finiront par finir. Nous savons aussi, bien sûr, que nous mourrons un jour ou l'autre – et peut-être ce soir même. Mais cette conviction ne nous empêche pas d'agir, de lire, de faire la guerre ou l'amour, de vivre – et même d'être gais et heureux. Oui, nous croyons à la fin du Soleil, de la matière et du monde. Mais, en société et au-delà de la société, nous sommes entourés et pénétrés d'une confiance dont la lumière est le symbole. Comme le Soleil lui-même, la lumière que nous lui devons et qui nous éclaire et nous réchauffe est un trésor pour longtemps. Chacun de nous a le droit, et peut-être le devoir, de douter que, comme sa propre mort, la fin, inéluctable et peut-être imminente, du monde et de sa lumière soit pour demain matin.

Plus encore que l'eau, qui m'a été si chère, j'ai aimé la lumière. Non seulement les couleurs qui sont son ornement et son luxe comme le style est l'ornement et le luxe du langage. Mais cette simple lumière qui nous vient du Soleil et qui fait vivre le monde. Il m'a toujours semblé que la lumière était quelque chose de comparable à la pensée ou à ce que nous appelons l'esprit : un don de la matière mais qui s'élève comme par miracle, dans la stupeur et l'émotion, à la dignité souveraine de la grandeur et de la beauté.

L'eau, l'air, la lumière. Profitez de ces délices passagères et durables, misérables égarés. Car elles vous seront arrachées – et, seconde après seconde, et jour après jour, elles vous le sont déjà – par notre maître à tous, le monstre tout-puissant, l'incarnation de la souffrance et du mal : le temps.

LE TEMPS

Le temps m'a toujours fasciné. De *La Gloire de l'Empire* et d'*Au plaisir de Dieu* à l'*Histoire du Juif errant* et à *La Douane de mer*, de *C'est une chose étrange à la fin que le monde* à *Comme un chant d'espérance*, j'ai écrit quelques livres. Tous, sans exception, tournent autour du temps. Rien de très surprenant. Dans le monde où nous vivons, tout tourne autour du temps.

Le temps, qui nous est si familier, qui rythme notre existence sans avoir l'air d'y toucher et que les puissants organisent à leur gré en utilisant et en bouleversant les innombrables calendriers successifs – les calendriers solaires, les calendriers lunaires, Jules César et le calendrier julien, Grégoire XIII et le calendrier grégorien, la Convention nationale et le calendrier républicain, pour ne rien dire du découpage en secondes, en minutes, en heures, en semaines, en siècles et en millénaires, du choix des fêtes d'obligation, de la fixation de la date des vacances ni des allers-retours des heures d'hiver et d'été –, est un système d'une complication infernale. Il n'est composé ni d'ondes ni de particules. Il n'est pas soumis à l'évolution. Il n'est pas l'œuvre des hommes. On se demande d'où il sort. Nous ne savons pas. De quel chaudron magique ? De quels abîmes métaphysiques ? Nous l'ignorons. Nous savons tout, ou presque tout, de la matière, de l'air, de l'eau, de la lumière, des lois immuables qui gouvernent l'univers avec une rigueur surprenante, et même de la pensée. Nous ne savons rien de ce temps dont le mystère effrayant finit par nous sembler d'une évidente simplicité et comme allant de soi.

Tout ce que nous pouvons en dire, c'est qu'il y a un avenir caché quelque part – mais où ? – et dont la seule ambition est de se changer au plus vite en un passé logé dans notre cerveau – et uniquement dans notre cerveau. Cette précipitation immobile transite le plus brièvement possible par un état paradoxal qui en est le but et le cœur et que nous appelons le présent.

Le présent perpétuel du monde où nous vivons a deux propriétés surprenantes et contradictoires : il est absolu, totalitaire, universel, au point que nous pouvons affirmer qu'il n'y a jamais rien d'autre que cette éternité provisoire et hâtive puisque tout, dans la vie et dans le monde, ne se situe jamais qu'au présent ; et il est inconstant jusqu'à l'inexistence, puisqu'un avenir encore inconnu ne se change soudain en présent que pour se changer aussitôt et à l'instant même en un passé déjà évanoui. Le propre du présent perpétuel est d'être toujours absent.

Cette épopée métaphysique qui ne s'arrête jamais et emporte tout sur son passage m'a longtemps rendu presque fou. Je voyais dans le temps comme une sombre puissance qui se déroulait à la façon de l'espace et qui se combinait avec lui. Il y avait l'espace, domaine de la coexistence, et il y avait le temps, domaine de la succession. Règles immuables de l'univers ou cadres nécessaires de notre pensée – et peut-être les deux à la fois –, l'espace et le temps constituaient la structure de toute vie et de toute réalité. Et, pour faire bonne mesure, j'imaginais que l'espace et le temps sortaient l'un et l'autre, à la façon de deux fleuves ou de deux marées gigantesques, de l'explosion primitive et tombaient en cascades des hauteurs du big bang pour quadriller l'univers.

Cette conception courante du temps, héritée sans doute de saint Augustin, je la partageais avec beaucoup. Et puis les interrogations se sont multipliées. La physique mathématique en venait de plus en plus souvent à se passer du temps dans ses calculs. Il devenait difficile de concevoir un temps sur le modèle de l'espace – une sorte d'espace mis en mouvement. L'origine de l'espace avait quelque chose de fantastique et de hautement paradoxal, mais enfin il était possible d'imaginer l'expansion accélérée d'un espace surgi d'une explosion. Il était impossible de se faire une idée, même floue, d'un flot ou d'un flux temporel qui coulerait de lui-même, indépendamment de l'univers qu'il emportait avec lui. Il était possible de concevoir un espace vide, il était impossible de concevoir un temps vide. Ce n'était pas le monde qui était dans le temps, mais le temps qui était dans le monde.

Le temps existe, bien sûr, puisque nous vieillissons et mourons, puisque tout passe et s'en va. Mais il n'a pas, comme l'espace, une réalité par lui-même. Il n'est pas un fleuve où nous nous plongerions. Mystère profond, il est attaché à la matière et à la vie. *Memento mori* perpétuel et tout-puissant, il est, sur toutes les formes les plus diverses de la réalité et de l'existence, sur toutes leurs facettes et tous leurs fragments les plus infimes, la marque indélébile d'un élan vers la mort et la disparition.

De ce temps si peu vraisemblable où le présent est toujours absent et qui n'est pas un torrent descendu on ne sait d'où mais le rappel perpétuel du dur destin de ces vivants qui sont des morts en sursis, les poètes, comme d'habitude, ont dit d'avance tout l'essentiel.

Boileau, souvent cité par Borges qui l'admirait :

Le moment où je parle est déjà loin de moi.

Et Ronsard, notre maître à tous :

Le temps s'en va, le temps s'en va, ma dame.
Las ! le temps non, mais nous nous en allons.

Y a-t-il mieux, plus foudroyant, plus explosif encore que la lumière et le temps ? Oui. La pensée. Le lent mûrissement de la pensée chez un nombre restreint de primates qui ont tiré le gros lot et qui, de génération en génération, deviendront peu à peu le fameux genre humain est le phénomène le plus stupéfiant de la longue histoire de l'univers. Presque aussi sidérant, oui, aussi sidérant que l'explosion primordiale. Quel sens auraient pris les formes, les couleurs, la lumière, le temps, si la pensée n'était pas apparue ? Aucun. Il est permis de soutenir que seule la pensée donne au monde son existence.

La pensée, nul ne l'ignore, est le propre de l'homme. Des poètes, des moralistes, des écrivains ont eu beau soutenir que le rire, la parole, l'idée de Dieu, la capacité de faire des projets dans l'avenir ou de se souvenir du passé, la vie en société, la politique, l'art et bien d'autres délicatesses étaient le propre de l'homme, les philosophes, de Platon, d'Aristote, de saint Augustin, d'Averroès à Montaigne et à Pascal, de Descartes et de Spinoza à Kant, à Hegel et au-delà, ne se sont occupés que de cette pensée des hommes autour de laquelle s'organise l'univers.

Beaucoup d'êtres vivants font preuve de comportements souvent proches de la pensée. Les fourmis ou les abeilles disposent, sous forme de signes ou de danse, d'un langage de mieux en mieux étudié. Konrad Lorenz a fréquenté des oies sauvages dont la compagnie devait être très plaisante. Nous connaissons tous des chevaux capables de compter et de s'attacher à leurs maîtres, des chiens ou des chats qui sont des amis plus attentifs et plus fidèles que bien des êtres humains. Nous entretenons volontiers des liens assez étroits avec des singes ou des dauphins. Un grand nombre d'oiseaux prennent plaisir à imiter notre langage. Et la mémoire des éléphants, pachydermes très estimables, semble digne d'attention : André Malraux assure qu'il en a connu plusieurs qui se souvenaient de leurs existences antérieures. Il reste que l'imagination poétique, le goût des arts, la musique, le théâtre, la poésie, la prière, la métaphysique, les mathématiques, l'histoire, l'éloquence, l'économie politique sont le propre de cet homme qu'une des formules les plus célèbres de la philosophie dépeint en train de tirer de sa pensée la seule certitude de son existence.

Parler de la pensée qui crée une seconde fois un univers dont elle devient le gérant et le maître est évidemment plus ardu que de parler de l'air, de l'eau, de la lumière bien-aimée ou même du temps, si diaboliquement compliqué, mystérieux et secret. Penser la pensée est la tâche, non pas d'une science exacte, mais d'un art difficile, flanqué d'un vocabulaire technique et de règles précises et vagues : la philosophie. Disons-le sans ambages : le manuel que vous êtes en train de lire est tout sauf un traité de philosophie. Il n'en présente ni la rigueur, ni le savoir, ni la sévérité un peu triste. Il n'a pas d'autre ambition que de décrire avec audace, avec naïveté, avec gaieté ce monde peu vraisemblable où nous avons été jetés malgré nous et de fournir vaille que vaille quelques brèves indications sur les moyens d'en tirer à la fois un peu de plaisir et, s'il se peut, de hauteur.

Le plus frappant dans la pensée, ce sont ses rapports avec la matière. Longtemps, de Platon à Spinoza en passant par Descartes, le monde des idées et de la pensée a été opposé au monde de l'espace où se déploie la matière. Nous savons désormais que, contrairement à ce qu'enseignaient un Plotin ou un Averroès, les idées, l'intelligence, la pensée ne flottent pas au-dessus de nous dans une sorte de paradis céleste où elles vivraient de leur vie autonome et, mieux encore, éternelle. Les êtres humains pensent avec leur cerveau. C'est notre corps qui pense. La pensée sort de la matière comme l'histoire sort du big bang. Elle est soumise au temps puisqu'elle surgit de la matière. Elle est changeante, passagère et mortelle comme les hommes et leur histoire.

La matière produit de l'esprit, personne ne le contestera. Mais l'invraisemblable ne s'arrête pas là. Le plus troublant est que les cerveaux convergent, s'ouvrent sur le même monde et procurent à chacun d'entre nous des sensations, des sentiments, des raisonnements différents, le plus souvent opposés, mais qui, coïncidant comme par miracle entre eux, permettent aux hommes non seulement de diverger, de se combattre et même de se massacrer, mais aussi et surtout de s'entendre et de se comprendre.

La pensée est un mystère plus profond que le temps et aussi effrayant que l'explosion primitive ou l'origine de la vie. Que ce qui se passe de physique, de chimique et de mathématique dans un cerveau placé au sommet de notre corps fasse naître de la matière un monde entier, identique, ou apparemment identique, pour tous les êtres pensants est un prodige ahurissant – et pourtant répandu jusqu'à l'évidence et à la banalité.

Un prodige ahurissant ? Peut-être pas tant que ça. Chacun de nous sort d'un mécanisme physique qui repose sur l'union de deux corps matériels et monte vers la liberté. La vie sort de molécules et de bactéries étrangères à tout esprit et monte – au moins de loin – vers le savoir, l'art, la beauté, la vérité. Le talent, le génie, l'imagination, la bonté sortent d'ovules et de sperme. Et l'univers lui-même sort d'une explosion matérielle avant de monter vers le temps, vers l'histoire, vers la mort au bout du rouleau – et, paradoxe suprême, vers la pensée et l'amour qui unissent la matière et l'esprit. Tout sort de la matière et tout monte vers l'esprit. Comme le monde lui-même, la pensée est une incarnation.

LE MAL

Le mal est lié si étroitement à la pensée qu'il se confond avec elle. Pendant les milliards d'années où la pensée n'existe pas encore, le mal n'existe pas non plus. L'expansion de l'espace, l'apparition des astres dans le ciel, la mise en place de notre Soleil, tout l'opéra fabuleux de l'univers – ou, si vous préférez, tout ce cirque à peine croyable – se poursuit en silence sans que le mal parvienne jamais à trouver la moindre faille où se glisser. Il faut attendre l'homme et sa pensée pour que surgisse au cœur des tumultes du monde ce spectre sombre et puissant que nous faisons profession de combattre et que nous servons trop souvent.

Après les millions de millénaires où l'univers se construit et avant le mal, fruit amer de la pen-

sée, il y a quelque chose qui trouble déjà la sérénité de l'édifice et qui est inséparable de la vie :
la souffrance. Parce qu'elles sont, elles aussi,
soumises au temps, la matière, les étoiles, les
ondes, les particules, les pierres – comme, plus
tard, l'histoire et les hommes – se précipitent
vers la ruine et le néant, mais avec ingénuité,
en aveugle, encore en toute innocence. La souffrance, qui est le prix à payer pour la vie, intro-
duit dans le monde l'inquiétude et l'effroi.

Le monde cesse alors d'être un grand fleuve
muet, tranquille dans ses bouleversements, sans
rien à craindre ni à se reprocher. Des fêlures
et des craquements se produisent. En silence
d'abord. Puis avec de plus en plus de violence
et de cruauté. Les bactéries disparaissent. Les
algues pourrissent. Les arbres, les plantes, les
fleurs passent leur temps à mourir. Les tigres et
les lions font souffrir les gazelles qu'ils déchi-
quettent à belles dents. La peur se répand. Des
cris de douleur retentissent. Il ne viendrait pourtant à l'esprit de personne de soupçonner où que
ce soit le moindre mal, actif ou passif. Le mal est
une trouvaille de génie qui n'appartient qu'aux
hommes. Il est une invention et un prolonge-
ment de la pensée.

À peine le mal apparaît-il, grâce aux hommes, sur la scène de ce monde qu'il y occupe une place démesurée jusqu'à la monstruosité. On dirait qu'il ne cesse jamais de trouver de nouvelles formes et de nouveaux subterfuges pour étendre son empire. Sous le masque hideux du mal, il est facile de reconnaître tout le génie de ces hommes à qui rien n'est impossible. Ni le meilleur ni le pire. Le mal est intelligent, inventif, souvent subtil. Familier du talent, il touche parfois au génie. Au point que le monde, si longtemps innocent, a pu passer très vite pour le royaume du mal.

En vérité, il l'est. Et, du coup, des symboles du mal ont été inventés, sous les noms notamment de Satan ou du diable, le Malin, le prince des ténèbres, le maître du monde, aux pouvoirs illimités. Ils n'ont pas beaucoup aidé à résoudre l'insoutenable problème du mal, insoluble à la fois pour ceux qui croient en Dieu et pour ceux qui n'y croient pas.

Pour les athées, le monde n'a pas de sens. Il est absurde. J'ai souvent exprimé mon admiration pour les athées qui font du bien aux autres sans aucun espoir de récompense ni de reconnaissance, dans une pure gratuité dénuée de toute autre signification que la charité, la compassion, la solidarité et l'image qu'ils se font d'eux-mêmes et de leurs semblables. Ces athées seront assis, là-haut, à la droite de ce Dieu auquel ils ne croient pas. Puisque ni l'univers ni la vie n'ont le moindre sens, le mal, pour eux, n'est ni plus ni moins inexplicable que tout le reste. Il est atroce comme le monde lui-même. Il est de l'absurde dans l'absurde, il est l'absurde au deuxième degré.

En apparence au moins, ceux qui croient à Dieu sont mieux armés contre le mal. Le monde leur est moins cruel qu'aux autres puisque la Providence veille sur eux. Mais aussitôt se pose une question qui, du massacre des Innocents au goulag et à la Shoah, du tremblement de terre de Lisbonne d'où sort le *Candide* de Voltaire au séisme d'Haïti, en passant par les famines en Chine, les éruptions de volcans à Pompéi ou en Indonésie, les tsunamis un peu partout, les souffrances des malades, des vieillards, des enfants, a bouleversé bien des consciences : comment un Dieu tout-puissant peut-il autoriser – ou faut-il dire : provoquer ? – les horreurs sans nom du mal ? De deux choses l'une : ou il n'est pas tout-puissant et sa gloire est ébréchée, ou il est complice du mal et sa toute-puissance est coupable. Il est très difficile, et peut-être impossible, de sortir de cette aporie. Le problème du mal est un des plus classiques et des plus ardus de toute théologie et de toute métaphysique. « Si Dieu existe, nous dit Woody Allen, j'espère qu'il a une bonne excuse. »

Pour ceux qui croient à Dieu comme pour ceux qui n'y croient pas, le mal est une absurdité, une catastrophe, un phénomène inexplicable, un scandale. On ne prétendra pas fournir ici une réponse à un problème qui agite les esprits depuis Adam et Ève, depuis le déluge, depuis Job sur son fumier, depuis l'extermination de l'homme de Neandertal par l'homme de Cro-Magnon. Mais, au lieu de considérer le mal comme la rupture scandaleuse d'un ordre universel dominé par le bien, peut-être devrions-nous inverser la perspective. Et voir le bien comme une exception lumineuse dans un monde où règne le mal.

Que le monde où nous vivons soit assiégé et envahi par le mal, comme il est occupé et pris en charge par la pensée, comment ne pas le constater ? Pour la simple et bonne raison que, depuis toujours et à jamais, l'homme, la vie, l'univers et tout ce qui y figure sont condamnés à mort. Le temps, qui se confond avec tout ce qui existe, est un élan vers l'usure et la disparition. L'histoire n'est rien d'autre que le récit d'une longue série d'échecs et de catastrophes qui finissent toujours par l'emporter sur la puissance et la gloire, sur les succès précaires, sur de trop brèves périodes de bonheur et de grâce. Il n'y a pas de quoi pavoiser. Comment ne pas comprendre les vieilles légendes d'un peu partout où le monde apparaît comme le royaume du prince des ténèbres et des forces du mal ? Ce n'est pas le mal qui vient bousculer et contrarier le bien dans ce que nous appelons – à tort – la marche du temps, c'est-à-dire dans l'histoire et dans notre vie privée. C'est notre condition misérable de morts en sursis, condamnés d'avance dès notre première apparition dans ce monde éphémère, qui est éclairée, à de brefs intervalles, par la lumière fragile du bonheur et du bien.

Le mal est partout autour de nous puisque nous sommes mortels et le monde, passager. La vie avant la pensée subit sans le savoir les effets de cette malédiction. Seul l'homme est conscient de son sort inéluctable. Et, pour tâcher de survivre le moins mal possible, il camoufle avec soin son destin désastreux sous tout ce qui peut lui venir à l'esprit et lui tomber sous la main : le sexe, le pouvoir, l'argent, les honneurs, l'importance, un savoir dérisoire, les drogues de toute espèce, la longue liste des illusions, tout ce que Pascal, nous l'avons déjà vu, ramasse sous le terme inspiré de « divertissement ». Le bonheur et le bien sont de brèves éclaircies dans les tempêtes du mal, des clairières éparses dans sa forêt obscure. Ils sont le charme vacillant et le but furtif de la vie.

Nous ne cessons jamais de rejeter ce que – à tort ou à raison – nous considérons comme le mal et de rechercher l'image que nous nous faisons – à tort ou à raison – du bonheur et du bien. Même celui qui va se pendre ou se tirer une balle dans la tête se sert de sa liberté pour fuir le pire et trouver le bonheur ou quelque chose qui en tienne lieu.

LA LIBERTÉ

Forts et fiers de leur pensée qui triomphe dans l'espace et le temps, les hommes sont libres - ou se croient libres. Comme la pensée, comme le mal, la liberté est le propre de ce primate qui s'est hissé au rang de maître du monde. Innocente, inerte, muette, la matière n'a pas d'autre choix que d'être ce qu'elle est. Volubile, active, coupable, la vie, elle, ne se contente jamais de demeurer semblable à elle-même. Elle bouge sans cesse, elle se transforme, elle reste la même et elle change. Il y a de la plante dans l'animal, il y a de l'animal dans l'homme. Et il y a déjà l'annonce de l'homme chez l'animal et chez la plante. Une touche, une ombre, un semblant de liberté se cache, dès l'origine, au cœur de la vie et se développe lentement avec elle. On pourrait déceler chez les fleurs et chez les arbres comme un élan vers la liberté. Les singes, les abeilles, les dauphins, les éléphants, qui se déplacent à leur gré, qui jouent, qui communiquent entre eux, sont libres dans de très étroites limites fixées par un programme en forme de feuille de route dont il n'est pas question de s'écarter si peu que ce soit. La liberté surgit dans l'homme et elle triomphe avec lui.

Nous sommes libres. D'après plusieurs philosophes – Jean-Paul Sartre par exemple –, nous sommes même libres « de part en part ». L'estime est un peu forte et la prétention exagérée. Notre liberté est encadrée par les exigences et les règles les plus strictes. Nous ne sommes pas libres de refuser d'être nés, d'échapper à la mort, d'être un autre que nous-même, de revenir en arrière, de l'emporter sur le temps, de sortir de l'histoire. Mais nous sommes libres d'agir ou de ne rien faire, de choisir la droite ou la gauche, de dire oui ou non, d'accepter ou de refuser, de donner un sens nouveau au passé, d'infléchir l'image que nous nous faisons de nous-mêmes et que nous offrons aux autres, de prévoir dans une certaine mesure et de préparer l'avenir et de forger notre destin. Nous sommes libres en un mot d'être des hommes et des femmes libres.

Dans ce monde condamné et dans ce temps implacable, notre liberté consiste à choisir à chaque instant entre le bien et le mal. Ou entre le pire et le moins mauvais - qui peut parfois être délicieux.

C'est à quoi se résignent le buveur qui cesse de boire, le fumeur qui cesse de fumer, le soldat qui accepte de mourir pour une cause jugée meilleure que celle de ses adversaires, l'économiste, la commerçante, l'homme d'État, la ménagère en face de solutions qui, au moins à long terme, comportent toutes un risque, le célibataire ou la célibataire très satisfaits de leur sort qui décident d'épouser une femme ou un homme traînant toute une famille derrière soi, l'étudiant qui hésite entre deux carrières, le patient écartelé entre un mal qui le fera mourir et un traitement qui le fait souffrir, le désespéré que la ruine, la maladie ou l'amour jette soudain par la fenêtre, l'enfant qui vient de naître et qui s'attache déjà, sans même le vouloir, à une vie qu'il maudira plus d'une fois. Gouverner, c'est choisir entre deux inconvénients. Vivre, c'est d'abord essayer d'éviter le pire. Et le pire n'est pas toujours la mort.

LA VIE

Si familière, si mystérieuse, si difficile à défi-
nir, la vie, d'où nous sommes partis comme
d'une évidence dès le début de ce manuel, est
pour chacun d'entre nous ce qui se passe avant
la mort. Elle est brève, avec des longueurs. Elle
est sinistre et gaie. À la façon de l'Ecclésiaste et
de Cioran – « J'ai préféré l'état des morts à celui
des vivants et j'ai estimé plus heureux celui qui
n'est pas né » ou « Les enfants que je n'ai pas
eus ne savent pas ce qu'ils me doivent » –, le
rêve de beaucoup serait de se passer de l'existence, de ne plus souffrir, de n'avoir jamais
débarqué dans ce monde hostile et cruel. Et,
en dépit de tant de douleurs et de tant de tris-
tesses, la vie est belle et elle se confond avec
le bonheur.

La vie est multiple et imprévisible. Légende invraisemblable et vraie, l'explosion primitive a mené à l'univers qui a mené à la vie qui a mené à la pensée. Et la pensée a donné un sens à la vie qui avait donné un sens à l'univers qui avait donné un sens à l'explosion primitive. À quoi mèneront l'univers, la pensée et cette vie insatiable aux innombrables visages ? À autre chose évidemment, dont nous ne pouvons rien dire car l'univers ne pouvait pas savoir qu'il allait donner naissance à la vie, la vie ne pouvait pas savoir qu'elle aboutirait à la pensée et, en dépit de toute sa puissance, la pensée ne peut rien savoir de ce qui sortira d'elle. Mais quelque chose d'obscur et d'encore inconnu nous tombera dessus tôt ou tard. Les ressources de la vie et de la pensée sont inépuisables. Jusqu'à se détruire, peut-être.

Parce que, pour notre chair périssable au moins, il n'y a rien d'autre que la vie, nous lui sommes tous, hommes et femmes, attachés plus qu'à tout. Ce que nous aimons, c'est vivre. Et donner la vie dans l'amour. La longue natte de l'histoire est tressée avec tant de subtilité et de soin que l'avenir naît du plaisir et l'altruisme de l'égoïsme. La machine de l'histoire ne cesse jamais de s'alimenter elle-même et de se donner des forces nouvelles. Pour que l'histoire puisse tenir debout et se poursuivre sans faiblir, il a fallu que l'amour de la vie ne cesse jamais de l'emporter sur sa lassitude ou sur son dégoût. Et il a fallu toute la puissance d'un désir sexuel qui, jusqu'à présent au moins, a régné sur la vie qui règne sur l'univers.

L'espace, le temps, les nombres, la capacité de l'histoire de distinguer et d'unir répartissent dès le début le phénomène global de la vie entre des individus différents. De même qu'il n'y a pas de temps sans objets temporels, il n'y a pas de vie sans vivants.

Comme l'univers lui-même, la vie des hommes est un désastre et un enchantement. Un désastre parce que la fin est déjà inscrite dans le début. Un enchantement parce qu'il ne cesse de s'y passer des événements qui provoquent des émotions, des sentiments, des réflexions, de la passion. Un désastre parce qu'il y a la souffrance et le mal. Un enchantement parce qu'il y a l'espérance et l'amour.

La vie de chaque vivant reproduit l'histoire de l'univers : il naît, il se développe, il joue son rôle et il meurt. Les choses se passent plus ou moins bien, mais toujours dans cet ordre. Il n'y a pas d'exception. La vie des êtres humains – parce qu'ils pensent – est particulièrement excitante.

La vie est excitante dans son ensemble, dans son parcours historique à travers les millénaires : c'est ce que les savants appellent la phylogenèse. Et elle est excitante une par une, pour chaque individu dans sa singularité : c'est l'ontogenèse.

Toutes les vies des êtres humains sont une aventure, un miracle et un spectacle prodigieux. Il y aura, dans l'avenir, un temps ou une absence de temps où les hommes auront disparu. Je ne sais pas si leur souvenir sera gardé quelque part par une puissance inconnue, une comptabilité mystique, un esprit immortel, un Dieu, ou s'il aura disparu pour toujours dans un néant éternel. Il n'est pas impossible que tout ce que nous appelons le monde et la vie ne soit qu'une imagination collective et bizarrement harmonieuse. Dans un cas comme dans l'autre – oubli ou survie, rêve ou réalité –, la vie de chacun d'entre nous aura été à jamais un chef-d'œuvre et un prodige.

Les vies d'Alexandre le Grand, de César ou de Galla Placidia, la vie d'une prostituée des quartiers chauds de Marseille ou de Constantinople, celles d'une esclave en Grande-Grèce ou au Yémen, d'un mineur polonais ou sud-africain vers la fin du xixᵉ siècle, de Gengis Khan, de Michel-Ange, de Napoléon ou de Théodora sont également fascinantes. Les uns jouent un grand rôle dans l'histoire et laissent un nom derrière eux. Les autres disparaissent au plus vite corps et biens. Mais tous auront connu l'alternance du matin et du soir, le chagrin, l'amitié, le désespoir, la maladie, la passion ou l'amour. Il peut même arriver qu'un homme ou une femme n'éprouve rien du tout de la beauté du monde ni de la force des sentiments. Sa vie n'en aura pas moins été comme une sorte d'hosanna, étouffé et muet, jeté dans l'éternité.

L'homme a créé l'art. Il y a une beauté de la nature, mais seule la vie la révèle. Et non content d'être à la source de toute beauté comme de toute justice ou de toute vérité, notre cerveau prend le relais de la création pour faire naître la peinture, la sculpture, la poésie, le théâtre, l'opéra, la danse, la musique – et le roman.

Il n'y aurait pas de roman s'il n'y avait pas de vie. Deux fois de la vie : la vie de l'auteur du roman d'abord, évidemment. Et la vie des personnages du roman. On peut imaginer un roman sans personnages. Nous avons des exemples de romans qui se limitent à la description de la nature et des objets. Reposant sur la seule écriture, ils constituent, eux aussi, à la façon des natures mortes et de la musique qui est le premier de tous les arts, un hommage à la vie. Mais l'immense majorité des tragédies, des comédies, des opéras, des chansons, des nouvelles, des fictions romanesques tentent - en vain, naturellement - d'imiter la création. Elles nous présentent des ascensions, des chutes, des rencontres, des combats, des passions, des crimes, des destins - bref, des vies.

La vie est inséparable du travail : « Tu gagneras ta vie à la sueur de ton front. » Le travail est une malédiction comme étaient aussi une malédiction, jusque dans un passé récent, les douleurs de l'enfantement. Toute vie est guettée par deux malédictions. L'une est souvent tournée par des malins, par des chanceux, des escrocs, des génies ou des idiots : le travail. L'autre est universelle, catégorique et implacable : la mort.

Il faut ajouter aussitôt, non par souci de complication ou d'élégance mais par respect de la vérité qui est souvent contradictoire et très proche de l'oxymore, que ces deux malédictions sont des bénédictions. Travailler est dur. Mourir est cruel. Ne pas travailler, manquer de travail, chercher du travail et ne pas en trouver est plus dur encore. Et ne pas mourir serait pire que tout. Quand le Christ, sur le chemin du Calvaire, se voit refuser un verre d'eau par Isaac Laquedem, appelé aussi Ahasvérus ou Buttadeo, il le condamne à l'immortalité. Une belle nouvelle de Borges tourne autour du Juif errant appelé l'Immortel, qui cherche désespérément et en vain la source de mortalité. Nous sommes si égarés, nous savons si peu de chose que nous ne savons même pas ce qui est le bien et ce qui est le mal.

Entrer dans ce monde est un mystère. En sortir est un mystère. Et l'entre-deux, que nous appelons la vie, est encore un mystère. Nous pouvons peut-être, dans les limites que nous savons, choisir notre existence. Nous ne choisissons pas de naître, et rarement de mourir. Naître et mourir nous sont imposés du dehors, ou du dedans, comme on voudra, mais le plus souvent sans notre accord, ou même contre notre volonté, d'en haut pour quelques-uns, d'ailleurs pour la plupart. Nous avons du mal à retarder, mais nous pouvons, sinon sans peine, du moins sans difficulté majeure, avancer la date de notre mort. Malgré tous les rêves de l'humanité depuis les temps les plus reculés, nous ne pouvons pas y échapper. Vivre n'est rien d'autre que mourir dans un avenir plus ou moins proche et toujours imprévisible.

LA MORT

La mort est le but et l'issue de toute vie et il est impossible de rien en dire.

Nous savons tout – ou presque tout – de la vie jusqu'à la mort. Nous pouvons parler de cette part de la mort qui appartient encore à la vie. Nous ne savons rien de la mort après la mort. Nous n'en avons jamais rien su. Nous n'en saurons jamais rien. Et peut-être n'y a-t-il rien à savoir.

Ce qu'il y a de plus étrange dans la mort, c'est cette barrière infranchissable qui la sépare de la vie. On dirait un fait exprès. Très loin dans le passé, il y a des millions et des millions de siècles, un mur s'élève tout au début pour nous empêcher de connaître notre origine. Très près dans l'avenir, dans quelques années, dans quelques mois, ou peut-être demain, un mur s'élève tout à la fin pour nous empêcher de connaître notre destin.

Nous ignorons d'où nous venons, nous ignorons où nous allons. Nous sommes tous des égarés.

La vie est pleine de surprises : la mort au loin
– ou tout près – est précédée et balancée par ce
que nous appellerons d'un terme générique un
peu flou : le plaisir. Si cruelle, souvent insuppor-
table, la vie est semée de plaisirs.

Le plaisir n'a pas très bonne réputation. Il est
volontiers opposé au devoir. On reprochera – ou
on reprochait – une vie de plaisirs aux jeunes
gens jugés trop portés à s'amuser au lieu de
s'ennuyer à la façon de tout le monde. Considéré
comme plus moral, l'ennui, ou au moins l'effort,
a meilleure presse que le plaisir qui contribue
pourtant beaucoup à l'agrément de l'existence
de ceux qui s'y consacrent.

Il faut bien reconnaître que le plaisir coûte
souvent cher, qu'il éloigne des autres, qu'il dis-

trait des grands desseins, qu'il élève rarement l'esprit. Mais il fait passer le temps de la manière la plus délicieuse et rend plutôt agréables ceux qui lui font place dans leur vie. Les femmes et les hommes de plaisir sont plus plaisants à fréquenter que les hommes et les femmes de devoir qui inspirent l'estime et le respect.

Le temps, l'argent, le sexe sont liés au plaisir. Au point que le plaisir tout court désigne le plus souvent le plaisir sexuel. Les livres médiocres ou franchement mauvais qui recherchent le succès et qui ont une chance de l'obtenir parlent volontiers de la « montée du plaisir » ou de sa recherche frénétique. Il y a des maisons de plaisir, des objets du plaisir, des techniques du plaisir.

Le plaisir est surtout le compagnon du désir : sa conséquence ou sa source. L'homme – terme générique qui embrasse la femme – est un être-pour-la-mort et un être-du-désir. Il fait des projets, il se préoccupe de l'avenir, il veut des êtres et des choses, il cherche à jouir de ce monde où la vie l'a jeté. Et il va mourir. En attendant de mourir, il se livre au plaisir, miroir aux alouettes illusoire et fascinant.

Alcibiade, Horace, La Fontaine, Voltaire,

Musset, Henri Heine, Oscar Wilde, Toulet, Cocteau, Morand ont aimé le plaisir. « La vie, disait Talleyrand qui s'y connaissait en bals de cour et en fêtes, en aventures amoureuses et en hochets du pouvoir, la vie serait supportable sans les plaisirs. »

LE BONHEUR

Le bonheur n'a presque rien à voir avec le plaisir. Le plaisir est agité. Le bonheur est calme. Le plaisir passe très vite. Passager lui aussi, le bonheur peut durer plus longtemps – c'est même son risque et son danger. Il y a beaucoup de plaisirs différents, et leur liste est interminable. Le bonheur prend mille masques différents et reste partout le même. « Toutes les familles heureuses se ressemblent, écrit Tolstoï à la première ligne d'*Anna Karénine*. Toutes les familles malheureuses sont malheureuses à leur façon. »

À notre époque surtout, qui a élevé le bonheur à la dignité d'une idole suprême et obligatoire, tout le monde veut être heureux. Au point qu'une lassitude du bonheur a fini par se faire jour. Beaucoup d'âmes tourmentées se détournent, non seulement du plaisir, mais aussi du bonheur pour s'élever un peu au-dessus d'elles-mêmes ou pour sombrer dans le crime.

Chacun a le droit, et peut-être le devoir, d'être heureux. Les traités du bonheur et les recettes pour y parvenir sans trop de peine en quelques leçons ont fleuri un peu partout. J'ai contribué moi-même à cet engouement collectif et un peu forcé. Peut-être faut-il rappeler que la recherche frénétique du bonheur ouvre le chemin le plus sûr vers l'échec et le dégoût. Le bonheur n'est pas un but, encore moins une carrière ou une obligation, mais un don gratuit, une surprise et la récompense de ceux qui ne passent pas leur temps à le cultiver. Le bonheur n'est pas un exercice narcissique et solitaire. Il tombe, comme par hasard, sur la tête et dans le cœur de ceux qui, loin de s'occuper d'eux-mêmes, s'occupent plutôt d'autre chose – et des autres.

LA JOIE

Le plaisir est une herbe folle qui pousse entre les pierres. Le bonheur est un lac très calme qui brille sous le soleil. La joie est une tempête qui tombe du ciel pour nous élever vers lui. Le plaisir est un instant qui passe : il nous excite. Le bonheur est un état qui s'efforce de durer : il nous apaise. La joie est une grâce venue d'ailleurs. Elle éclate. Elle nous transporte. Elle nous ravit au-dessus de nous-mêmes.

La joie est liée à la justice, à la beauté, à la vérité. Elle frappe à l'instant où il apprend que son innocence est enfin reconnue le suspect accusé à tort d'un crime qu'il n'a jamais commis. Elle envahit Carpaccio en train d'achever *Le Rêve de sainte Ursule* ou Piero della Francesca devant *Le Songe de Constantin*. Elle est la récompense du savant qui découvre soudain la solution d'un problème qui a longtemps résisté aux efforts de générations successives. Elle tombe sur le musicologue, sur le mélomane, sur le premier venu, sur l'imbécile musical qui écoute une cantate de Bach ou *Les Noces de Figaro*. Elle inonde les amants, les âmes pures, les simples d'esprit qui découvrent tout à coup qu'ils aiment et qu'ils admirent la beauté des êtres et du monde.

Giono nous a laissé de bons livres et deux titres inoubliables. L'un : *Le Chant du monde*. L'autre : *Que ma joie demeure*.

Dans ce monde enchanteur et si dur, ah ! que ma joie demeure !

L'HISTOIRE

1

Il y a une histoire parce que tout passe, le bonheur comme le malheur, les chagrins comme
la joie. Et les plaisirs, bien entendu. Il y a une
histoire parce qu'il y a le temps, que nous naissons et mourons, que nous dépendons de notre
passé et que l'avenir nous guette. Le passé et son
histoire empêchent l'avenir de relever du seul
hasard et de devenir n'importe quoi.

2

Beaucoup – les juifs, les Grecs, les Romains,
les chrétiens, les musulmans, les communistes,

les trotskistes... – croient que l'histoire a un sens. Des sens souvent différents, et parfois opposés. Mais enfin, un sens. D'autres – les athées, des saints laïques, des fous, des joueurs, des désespérés, de grands physiciens ou de grands biologistes qui font la part belle au hasard... – pensent que l'histoire n'a pas plus de sens que le mal, la vie, l'univers.

3

Les philosophes de l'histoire allemands distinguent sous deux noms différents l'histoire en train de se faire et l'histoire déjà faite, reconstituée par les historiens et enseignée aux enfants. L'abîme entre ces deux histoires a quelque chose de métaphysique.

4

L'histoire s'occupe le plus souvent du passé. Mais l'avenir appartient aussi à son domaine. « La première catégorie de la conscience historique, ce n'est pas le souvenir. C'est l'annonce, l'attente, la promesse. »

5

J'aurais beaucoup aimé écrire une histoire du plaisir. Ou une histoire du bonheur. Une histoire des rapports entre maître et disciple, de Socrate et Platon à Alain, à Bachelard, à Jankélévitch et d'Alcibiade à Rimbaud. Une histoire des rapports entre auteurs et éditeurs. Une histoire de l'histoire. Une histoire de l'avenir depuis les temps les plus reculés.

6

À plusieurs reprises a été proclamée une fin de l'histoire. L'histoire ne finit jamais. Ou plutôt elle ne finira qu'avec les hommes, avec le temps et avec l'univers.

LE PROGRÈS

Il y a pire encore que les imbéciles qui croient au progrès : ce sont les imbéciles qui n'y croient pas.

Dans tout ce qui touche à la science, à la technique, à la médecine, aux transports, au niveau de vie, à la justice – parlons plutôt de l'aspiration à la justice –, le progrès crève les yeux. Même parmi les adversaires les plus résolus du progrès, qui accepterait de vivre demain comme nous vivions hier ?

Qui se risquerait, en revanche, à déceler le moindre progrès dans tout ce qui relève de la pensée, de la morale, de l'art, du bonheur, du courage, de l'élégance, de la curiosité d'esprit, de la plupart des vertus, peut-être même, sinon de cette « douceur de vivre » dont parlait Talleyrand, du moins des charmes de l'existence, de la nature, de la sérénité ? Il n'est pas exclu que le sort d'un déshérité ou d'un réfugié d'aujourd'hui soit aussi dur, ou plus dur, que celui d'un paysan ou d'un marin des temps évanouis.

Plus qu'un progrès continu, ce qui frappe au fil des siècles, c'est une succession d'avancées foudroyantes, de reculs, de risques imprévus, d'échecs qui se muent en victoires, d'espérances souvent déçues. Ce qui l'emporte sur tant de légendes et d'illusions ramassées sous le nom de « progrès », c'est un changement perpétuel dont les effets nous restent obscurs. Nous ne connaissons jamais les conséquences de nos décisions. Rien n'échoue comme le succès. Et ce que nous redoutions finit parfois par nous servir. « Les hommes font l'histoire, disait Raymond Aron, mais ils ne savent pas l'histoire qu'ils font. »

Le progrès est une réalité. Le progrès est une évidence. Le Progrès est une idole. Le Progrès est un mythe. Tout passe, tout évolue, mais tout reste toujours semblable. Le prince Salina, dans *Le Guépard* de Lampedusa revu par Visconti, l'avait déjà deviné : rien ne change jamais que pour mieux se poursuivre.

Il est impossible, en vérité, de comparer

entre elles, dans le temps, des époques successives comme il est impossible de comparer entre
elles, dans l'espace, des cultures différentes. En
dépit de tant de savants qui ont laissé un grand
nom dans l'histoire des idées, en dépit d'Héro-
dote, de Thucydide, de Tite-Live, de Tacite, de
Bossuet, de Voltaire, de Gibbon, de Michelet,
de Toynbee, l'histoire attend encore son Lévi-
Strauss.

LA JUSTICE

Le monde est injuste. C'est la loi. Juifs, chrétiens, athées, bouddhistes, démocrates, socialistes, communistes, nous croyons, bien entendu, à l'égalité entre tous les êtres humains. Force est pourtant de constater que certains d'entre nous sont plus grands ou plus petits que les autres, courent plus ou moins vite, jouissent d'une santé qui peut être bonne ou mauvaise, ont plus ou moins de facilités pour parler le chinois, l'arabe ou le français. La nature est plus injuste encore que la fortune si imprévisible et si volage.

Cette évidence établie, tout le reste – le pouvoir, l'argent, le talent, le caractère, la chance, le hasard, le destin... – coule de source dans une parfaite injustice. Universelle et obligatoire, il n'y a que la mort – mais elle arrive toujours trop tard et après la bataille – pour rendre enfin à la vie une égalité si longtemps différée et un semblant de justice.

Au cours de la vie – de la vie en général et de chacune de nos vies en particulier –, seul domaine où nous puissions agir avec l'ombre d'une espérance de succès, bien des efforts ont été déployés pour tâcher d'injecter un peu de justice dans ce tissu d'injustices. Sur la nature, le caractère, le talent ou son absence, le génie évidemment, le hasard, la chance, les hommes ne peuvent pas grand-chose. Ils ont bien essayé, avec des réussites variées, d'agir sur les esprits par l'éducation ou la psychologie et sur les corps par le sport, d'apprivoiser le hasard sous les espèces de la loterie, de l'astrologie, des machines à sous ou des jeux télévisés, et même de modifier l'apparence physique des créatures humaines comme ils ont essayé aussi de trans-former les plantes, les arbres, les fleurs, les animaux. Aucune de ces opérations n'a suffi à assurer la justice. Elles ont plutôt contribué à renforcer l'injustice : la télévision fabrique des vedettes tirées au sort dont le destin est sinistre, le sport est dévoré par la compétition qui attire des foules partisanes et l'école donne naissance à l'émulation, condition du progrès. Il y a des forts et des faibles, des veinards et des malheureux, des vainqueurs et des vaincus. Les deux seuls domaines où les hommes ont tenté avec constance et plus ou moins de succès de faire régner un peu de justice sont le pouvoir et l'argent. Tout un pan de l'histoire de l'humanité se confond avec ces efforts.

Longtemps, le pouvoir a été le privilège des mages, des prêtres, des chefs de guerre ou de clan, des rois, des empereurs, des seigneurs et des puissants. Le talent ou le génie, la force, la violence, la ruse, la chance et le hasard, la guerre de tous contre tous jouent un rôle déterminant dans l'injustice de l'autorité à laquelle des tribus, des communautés, des nations, des civilisations entières se sont soumises avec résignation, et souvent, sous des noms divers et par une sorte de miracle qui a suscité beaucoup d'études et de travaux, avec une adhésion parfois proche de l'enthousiasme.

La démocratie consiste à introduire un peu de justice dans la jungle du pouvoir et à rendre à chacun un fragment minuscule de l'autorité publique. Avec son contrat social et sa règle de la majorité à une voix près, avec ses oscillations perpétuelles, avec ses excès et ses faiblesses, la démocratie est une illustration de l'imperfection tragique de ce monde : elle fonde un régime incertain, changeant, trop souvent décevant – mais, à coup sûr, le moins mauvais de tous. Très loin d'assurer la justice dans ce bas monde, elle incarne pourtant un effort vers ce qu'il nous est permis d'espérer en matière de justice économique et sociale.

L'invention de l'argent il y a quelques milliers d'années a été le plus puissant des accélérateurs de l'injustice inséparable depuis toujours et pour toujours de la condition humaine. L'argent représente naturellement un progrès immense sur le troc et un facteur décisif de développement économique et social. L'argent, c'est la liberté monnayée. Et, fluctuant jusqu'à la contradiction, ambigu comme tout progrès, son règne entraîne avec lui des catastrophes en chaîne. Comme la vie elle-même – et comme la mort – il constitue, indissolublement, dans la vie publique et privée, dans le sport, dans l'art, un peu partout, une bénédiction et une malédiction.

Officiellement, si l'on peut dire, en théorie, l'argent est la récompense du travail, des services rendus, du dévouement à la cause publique, de l'effort et du talent. Les exemples ne manquent pourtant pas d'un travail épuisant qui n'enrichit jamais personne et, inversement, de hasards heureux et de rencontres fortuites qui assurent la fortune à des médiocres et à des incapables. En Mésopotamie, en Égypte, chez les Grecs et chez les Romains, dans la Russie communiste, chez les Chinois, chez les Indiens – et chez nous –, il y a des riches et des pauvres. Allez savoir pourquoi et comment. Pour quelles raisons. Par quels mécanismes. Sur quels principes. Du coup, souvent, les esclaves se révoltent contre les maîtres, les pauvres contre les riches, les paysans contre les propriétaires, les bourgeois contre les aristocrates et les prolétaires contre les bourgeois.

Nous le savons bien, nous l'avons appris dans la douleur : quel que soit le régime, la caste des privilégiés ne tarde jamais beaucoup à se reconstituer. Sur des bases nouvelles et selon les vieux schémas. Parce qu'ils sont plus nombreux et toujours prêts à mourir, les esclaves l'emportent sur les maîtres, les faibles sur les puissants – et les victimes d'hier deviennent sans trop de peine les bourreaux de demain. La justice, disaient

Simone Weil et les Grecs de l'Antiquité, cette fugitive du camp des vainqueurs.

Un rêve court à travers le temps : la suppression de l'argent. Elle entraînerait des souffrances qui feraient vite regretter son règne implacable. La règle du progrès, si souvent attaqué et condamné et si ardemment défendu, est que l'histoire ne revient jamais en arrière.

Comment lutter contre l'injustice ? En donnant la même chose à chacun ? En mesurant le mérite ? En établissant des hiérarchies fondées sur des critères incertains et variables ? En tirant à la courte paille ? Tous les systèmes ont été essayés au cours de l'histoire. Aucun n'a mené au bonheur – ni à la justice.

Comme la beauté, comme la vérité, la justice est un rêve, une séduction, un mirage, une illusion. Vouloir l'imposer du dehors et avec violence est une ambition infinie et vaine. Mais renoncer à la justice sous prétexte d'impuissance à la faire triompher et jeter l'enfant avec l'eau du bain, c'est ouvrir la voie au désespoir et à la barbarie. Nous sommes des êtres imparfaits. Il nous faut, vaille que vaille, courir après l'impossible et chérir l'utopie. La tâche de Sisyphe est de pousser son rocher.

LA BEAUTÉ

La beauté ? Une idée, un sentiment, un plaisir, une émotion. Et à nouveau un mystère. La beauté, comme le temps, nous ne savons pas ce que c'est. Les hommes ont souvent essayé de l'expliquer par la mathématique. Par des calculs savants et par le nombre d'or. Sans résultat décisif. À propos d'une boisson plutôt forte dans un film français d'il y a un demi-siècle figure une réplique devenue célèbre : « Il y a de la pomme – mais il n'y a pas que de la pomme... » Dans la beauté aussi, il y a de la mathématique, mais il n'y a pas que de la mathématique. Michel-Ange et Bach, Pascal et Bramante sont mathématiciens. Mais autre chose encore que mathématiciens. Le charme, la grâce, l'invention, la surprise, la sensibilité, le paradoxe, l'immobilité et le mouvement, l'équilibre, l'harmonie, la symétrie et l'asymétrie... Aucune définition ne suffira jamais à cerner la beauté.

Un visage est beau – non pour tous peut-être, mais pour quelques-uns. Et nul ne sait pourquoi. Un coucher de soleil est beau. Une voiture est belle. Un livre est beau – c'est-à-dire qu'il nous plaît. Et il fait plus que nous plaire : il nous enrichit, il nous élève, il nous transporte ailleurs. Un pont, une cathédrale, une mosquée, un échangeur d'autoroute sont beaux. Une cicatrice est belle aux yeux du chirurgien. La *Présentation de la Vierge au Temple* par Titien dans un coin plutôt perdu de l'Académie de Venise est belle. La solution d'un problème, une formule, une équation sont belles. Le *Concerto n° 21* de Mozart, et surtout son andante, déchirant et si gai, est d'une beauté à tomber. La légèreté est belle quand elle s'unit à la profondeur.

La beauté n'existe pas par elle-même, en l'absence des phénomènes ou des objets que nous jugeons beaux. Surgissant à l'origine dans un monde sans beauté, dans un monde au moins où la beauté, déjà présente, reste encore cachée, les hommes la font jaillir du vide de l'univers. Ils injectent de la beauté dans un monde aveugle et muet. Comme l'univers en général, elle est liée à l'homme, à ses sens, à son imagination, à son cerveau. D'une façon ou d'une autre, il n'y a pas de beauté sans spectacle et il n'y a pas de spectacle sans perception du spectacle. Il n'y a pas de beauté sans pensée, sans oreilles et sans yeux.

La beauté est trompeuse, menteuse, parfois décevante, toujours discutable et toujours équivoque. Elle entretient des liens étroits, chacun le sait, avec les entraînements d'une mode qui ne cesse de se démoder. Elle change avec le temps. Elle varie selon les individus. Elle divise autant qu'elle rapproche. Elle est une promesse de bonheur et souvent de malheur. Les sirènes sont belles et leur chant est très beau. Méduse a une espèce de beauté. Et Lucifer est beau.

La beauté est éphémère et inconstante comme le temps. Ce qui paraissait beau hier – l'art, les mœurs, le langage, toutes les formes d'expression, la manière d'être et de sentir, les vêtements, les visages... – semble risible aujourd'hui. Et ce qui nous plaît aujourd'hui sera ridicule demain.

Ce ne sont pas seulement les modalités de la beauté qui ne cessent d'être contestées et d'être menacées par le temps qui passe – mais l'idée même de beauté. Durant des siècles et des siècles, la beauté s'est confondue avec les arts, avec la peinture, la sculpture, la musique, l'architecture. Elle en était le but, la condition, la matière et le sens. Une bonne partie, et la plus bruyante, de l'art d'aujourd'hui s'est détournée de la beauté. Une œuvre d'art a encore le droit d'être belle. Elle peut aussi nourrir des ambitions différentes. Au lendemain de deux guerres mondiales et de la crise économique, avec les progrès de la science et la crainte de l'avenir, après Rimbaud, Joyce, Picasso, Charlie Chaplin d'un côté, Barnum, la radio, le cinéma, la télévision de l'autre, le rejet, le combat, la fureur, une éthique parfois inversée ont pris la place de l'admiration, inséparable de la beauté. Les médias et l'argent ont détrôné la reconnaissance par les pairs et la gloire. Les metteurs en scène l'ont emporté sur les auteurs. Le commentaire sociologique s'est emparé de l'art.

Si longtemps adulée, il arrive à la beauté non seulement d'être négligée et oubliée, mais de se voir dénoncée, vilipendée et moquée. « Un soir, j'ai assis la Beauté sur mes genoux – Et je l'ai trouvée amère – Et je l'ai injuriée. » Elle ne s'inquiète pas beaucoup de ces rebuffades ni de ses mésaventures. Elle reste calme dans son coin. Elle sait qu'elle reviendra en souveraine, différente et semblable. En dépit de tant de malheurs, il y a chez elle et en elle quelque chose d'obstiné et peut-être d'éternel.

Il n'est pas tout à fait sûr que la beauté suffise à sauver le monde de la folie des hommes et de leur génie. Elle le rend en tout cas supportable. Elle le change en bonheur.

LA VÉRITÉ

L'air, l'eau, la lumière, le plaisir, le bonheur, la beauté sont les dons gratuits du monde et de la vie. Chacun peut jouir de la lumière. Vous avez le droit d'être heureux. La beauté est un enchantement qui transforme l'existence. La vérité est un devoir. Elle est combat, dissimulation, recherche, découverte, proclamation. Elle est surtout obligation. En ouverture de son cours d'hypokhâgne ou de khâgne au lycée Henri-IV, le philosophe Alain avait coutume d'inscrire au tableau noir la phrase si belle de Platon :

σὺν ὅλῃ τῇ ψυχῇ εἰς τὴν ἀλήθειαν ἰτέον.

Il faut aller à la vérité de toute son âme.

Le problème avec la vérité, qui est adéquation de la pensée et de la réalité, conformité du langage au monde et à son histoire, c'est qu'elle ne cesse de se dérober. Elle se situe volontiers sous l'invocation de la formule célèbre d'un procurateur de Judée au temps de l'empereur Tibère : « Qu'est-ce que la vérité ? »

Il n'y a de beauté que parce qu'il y a des hommes pour la percevoir. Il n'y a de vérité – et de mensonge – que parce qu'il y a une pensée et un langage pour la découvrir – ou la dissimuler. Inséparable de l'expression sous forme de voix ou d'écriture, elle est aussi liée au mal qu'elle affronte et dissipe. Assoiffée de reconnaissance, elle est fragile et toujours prête à la bataille.

Qu'elle change dans l'espace et dans le temps, nous le savons depuis toujours. Et Pascal nous le rappelle avec ses fameuses Pyrénées qui séparent la vérité de l'erreur. Selon les domaines de son activité, elle est plus ou moins sensible à la géographie et à la marche de l'histoire. Elle varie moins vite et surtout avec moins de violence en littérature et en morale qu'en physique et en biologie. Homère et Socrate sont toujours jeunes, Ptolémée, Hippocrate, Copernic ne sont plus que des repères historiques dépassés par une vérité nouvelle qui sera bientôt, à son tour, périmée et ancienne.

De notre temps, c'est en physique mathématique que les bouleversements de la vérité ont été les plus évidents et les plus spectaculaires. À travers la physique mathématique et grâce à elle, l'image de l'univers et la nôtre ont changé du tout au tout.

Dans la première moitié du siècle passé et sous la pression d'une science devenue soudain foudroyante, la notion même de vérité a volé en éclats. En marge de deux guerres mondiales et sur fond d'une crise économique profonde, une des clés de l'histoire des idées au xxe siècle est à chercher dans cette explosion de la vérité.

Vers le début du chapitre sur la pensée, il a été établi que ces quelques pages ne constituaient pas un traité de philosophie. L'ambition de ce manuel est encore moins de présenter un exposé, même succinct, des progrès inouïs de la science, et notamment de la physique mathématique, au cours des cent dernières années. Il n'est pas question ici de proposer le moindre tableau des séismes qui ont secoué de nos jours la science et son histoire. Ce qui est peut-être permis, en revanche, c'est de jeter un regard sur les avatars et les aventures fabuleuses d'une vérité si longtemps assoupie dans une orgueilleuse certitude.

La vérité, pendant des siècles, a régné sans encombre parce qu'elle avait deux garants successifs et puissants : c'étaient Dieu et la science. Avant le triomphe du monothéisme sous ses formes diverses - judaïsme, christianisme, islam... -, le monde était la proie de forces magiques, puis de toute une variété de déesses et de dieux qui s'accouplaient, se reproduisaient, se combattaient, s'alliaient et décidaient à leur gré du destin des humains. Appuyées sur une réalité qui se réclamait de Dieu, la stabilité et la clarté d'une vérité qui progressait avec une sage lenteur dans la confiance et dans la bonne conscience étaient enfin assurées.

À partir de la fin du XVIIIe siècle, la science a pris ses distances d'avec Dieu. Elle ne l'a pas seulement mis de côté. Elle l'a remplacé. Elle s'est confondue avec lui. Et elle a conservé à son propre bénéfice les habitudes de certitude et d'invulnérabilité qu'elle disputait à un Dieu contesté. Vers la fin du XIXe siècle, des savants éminents et sûrs de leur vérité pensaient que la science était parvenue à son terme, qu'elle savait presque tout de ce qu'il était possible de savoir, qu'il suffisait de développer les connaissances acquises et qu'il n'y aurait plus dans l'avenir de découvertes fracassantes. Vingt ou trente ans plus tard éclataient les bombes métaphysiques de la relativité restreinte, puis générale, et de la révolution quantique qui allaient mener au nucléaire, à l'électronique, au numérique et à un monde virtuel où ni la réalité ni la vérité n'avaient plus guère leur place.

La mécanique quantique ouvrait une ère nouvelle non seulement dans la science, mais dans l'histoire des idées. Naguère appuyé sur la toute-puissance d'une science qui avait hérité de Dieu, le déterminisme battait en retraite. L'incertitude l'expulsait. À la merci de l'incertitude de l'infiniment petit, le fameux chat de Schrödinger était à la fois mort et vivant. Au hasard. Presque au choix. Impossible de savoir. Contrairement aux affirmations d'un Laplace qui prétendait que l'avenir sortait du présent avec une sorte de nécessité, la stabilité et l'évidence avaient disparu. Personne n'était plus sûr de rien. La réalité piquait du nez. Non que l'esprit des hommes ne fût pas ouvert au mystère de ce monde, mais parce que le mystère de ce monde était fermé à l'esprit des hommes. « Ce qu'il y a de plus incompréhensible, disait Einstein, c'est que le monde soit compréhensible. » Bohr allait plus loin encore dans le même sens : « Si vous croyez avoir compris la théorie quantique, c'est que vous ne l'avez pas comprise. »

La logique en prenait un coup. La bonne conscience, la simplicité, le confort intellectuel s'écroulaient. Toute prévision était interdite. La réalité vous glissait entre les doigts. Le savoir bégayait. La certitude faisait naufrage. La vérité devenait folle.

Ce n'était pas seulement en physique mathématique que la vérité vacillait. Garant de la vérité, Dieu, depuis longtemps à bout de souffle, rendait l'âme entre les mains de Karl Marx et de Nietzsche. La science faisait semblant de triompher, mais elle reconnaissait ses limites. Privée des secours à la fois de Dieu qui se retirait et d'une science toute-puissante et pourtant impuissante, à qui rien ne résistait sauf un réel en miettes mais toujours inépuisable, où était passée la vérité ? Elle errait, hagarde, sur les ruines de l'ancien monde.

Elle cédait sur tous les fronts : les arts, la politique, la justice, l'histoire, la morale, les façons d'être, la syntaxe, l'orthographe... Et jusqu'à la religion. « Je suis le chemin, la vérité et la vie », disait Jésus à ses disciples. Même pour les croyants, le chemin devenait ardu et la vie difficile parce que la vérité avait perdu de son éclat et de son autorité. Au-delà des bouleversements de la science, de la technique, des mœurs, de la religion qui déboussolaient les esprits, le découragement des citoyens, le désarroi des consciences, le fameux malaise dans la civilisation n'étaient peut-être rien d'autre que les manifestations de la crise de la vérité.

Dans la vie de chaque jour, misérables égarés, aussi loin de l'infiniment petit que de l'infiniment grand qui ont leurs règles à eux, ou peut-être pas de règle du tout, la vérité reste un devoir. À ceux qui l'auraient oubliée, il faut rappeler la phrase de Gide dans *Paludes* : « Tu me fais penser à ceux qui traduisent *Numero deus impare gaudet* par *Le nombre deux se réjouit d'être impair*, et qui trouvent qu'il a bien raison. » Non, *deus* ne se traduit pas par *deux* et nous avons le devoir de regarder en face une vérité qui survit malgré tous les obstacles et de la répandre autour de nous au lieu de la déformer et de la dissimuler.

Reste à savoir s'il faut toujours l'exprimer. Dans les cas, par exemple, de la vie sentimentale, de la santé, de l'aspect physique, dans la bouche des avocats ?... Ou quand il s'agit de politique étrangère. Faut-il à tout prix imposer aux autres une vérité dont ils ne veulent pas – et qui peut-être n'existe pas ? Mieux vaut parfois aimer les autres que de leur dire notre vérité. Il y a quelque chose de supérieur à la vérité – comme d'ailleurs à tout le reste : c'est l'amour.

L'AMOUR

L'air et l'eau ont leurs secrets. La lumière est savante. Les mécanismes du temps ont quelque chose de démoniaque. La pensée donne le vertige. La vérité est un labyrinthe. Rien de plus simple que l'amour. Vous prononcez son nom : chacun sait de quoi il retourne. Philémon et Baucis. Roméo et Juliette. L'amour maternel. L'amour de la patrie. L'amour de Dieu. Les amours de jeunesse. Les amours qui durent et les amours qui se défont. Plaisir d'amour et chagrins d'amour. Ses tours et ses détours, nous les connaissons tous. Usé jusqu'à la corde par l'ode et le sonnet, par le théâtre classique, par les poètes romantiques, par les chanteurs et les chanteuses, le cinéma, la télévision, il n'en finit pas de ressusciter de ses cendres et de régner sur le monde.

Un scénariste au comble de l'excitation entre en trombe, à Hollywood, dans le bureau d'un producteur :

– Patron ! J'ai une idée de génie...

– Ah ! bon...

– ... De quoi déchaîner l'enthousiasme...

– Tiens donc !...

– ... Une histoire toute neuve...

– Vraiment ? Je vous écoute.

– Eh bien ! voilà : *A boy meets a girl...*

L'amour fait tourner la Terre. Il fait tourner les planètes. Il fait tourner le Soleil et les autres étoiles. Plus sûrement que les quatre forces, vous savez bien, à l'œuvre dans l'univers, il tient ensemble un monde qui se briserait sans lui. Il jette tout ce qui vit dans les bras les uns des autres. Il donne un peu de courage et de consolation aux infirmes, aux déshérités, aux pauvres, aux désespérés. Il est au cœur de la justice, de la beauté, de la vérité. Il rapproche les vivants. Il se souvient des morts. Il élève vers Dieu. Et - au moins tout au long des millénaires écoulés - il permet à l'histoire de poursuivre son chemin en ne cessant jamais de lui fournir des recrues. Il est plus fort que la mort.

L'intéressant dans l'amour, son avantage, son

danger aussi, c'est qu'on peut tout en dire. Tout et le contraire de tout. Tout et n'importe quoi. Et personne ne s'en prive. Il est gai, il est triste, il est tendre, il est brutal, il passe et il ne passe pas. Il ne cesse jamais de se contredire. Il prend toutes les formes possibles et tous les masques les plus divers. Il se charge de chaînes, il inspire les poètes et les prédicateurs, il nourrit sans fin les ragots et les romans, il se traîne dans la boue et il élève au-dessus d'elles-mêmes de grandes âmes éperdues. Il est à la source de plusieurs chefs-d'œuvre et d'un nombre incalculable de pauvretés et de bassesses.

« Quand je parlerais toutes les langues des hommes et des anges, écrit saint Paul à ses Corinthiens, si je n'ai pas l'amour je suis comme un airain qui résonne et une cymbale retentissante. » Et Céline, à l'inverse : « L'amour, c'est l'infini mis à la portée des caniches. » L'amour est torture, enchantement, violence, douceur, conversation, silence. Il est bonheur et chagrin. Il est profondeur et légèreté. Il est léger comme de la cendre.

J'ai beaucoup aimé ces jeux de mots et du plaisir chantés par Mozart ou par Offenbach, mis en scène par Shakespeare, par Musset, par

Henri Heine, par Toulet, par Oscar Wilde et où se glissent d'avance toutes les promesses de l'amour. Chateaubriand déjà âgé tombe un beau soir sur Rachel encore toute jeune en train de triompher dans *Bérénice* ou dans *Phèdre*.

Chateaubriand, soixante-dix ans :

– Quel malheur, Mademoiselle, de voir une chose si belle quand on va mourir !

Rachel, dix-sept ans :

– Mais, Monsieur le vicomte, il y a des hommes qui ne meurent pas.

La même Rachel, un peu plus tard, aurait reçu dans sa loge le billet d'un admirateur à la mode. « Quand on vous voit, on vous aime. Quand on vous aime, où vous voit-on ? » Elle aurait répondu par quelques mots tout aussi brefs à la chute ambiguë : « Ce soir. Chez moi. Pour rien. »

Dans un des salons du XVIII\ :sup:`e` triomphant – celui de Madame du Deffand peut-être, ou de Madame de Tencin ? –, la maîtresse de maison ou une de ses amies demande au futur cardinal de Bernis, encore très jeune et déjà recherché pour son esprit, une définition de l'amour. Bernis répond à la dame, dont il est amoureux en secret :

L'amour est mon berger, mon maître.
Il est aussi celui du valet et du roi.
Il a vos yeux, il a ma voix,
Mais il est plus hardi peut-être.

Horace, Catulle, Ronsard, Racine, Byron, Shelley, Keats, Musset, Baudelaire, Apollinaire, bien d'autres sont les poètes de l'amour. Choderlos de Laclos, Benjamin Constant, Stendhal, Manzoni, Proust et tant d'autres sont les romanciers de l'amour. Il n'y a pas de poésie, il n'y a pas de littérature, il n'y a pas d'art sans amour.

Grand ou petit, l'écran n'est rien d'autre qu'une inlassable histoire d'amour qui permet à Ingrid Bergman et à Cary Grant d'échanger dans *Notorious* d'Alfred Hitchcock – en français : *Les Enchaînés* – le plus long baiser de l'histoire du cinéma. À qui le priait de jouer un morceau de musique, Mozart répliquait : « Dis-moi d'abord que tu m'aimes. » La sculpture, c'est des corps d'hommes et de femmes qui nous parlent d'amour. Au-delà de quelques pommes et de plusieurs couchers de soleil, la peinture, avant l'abstraction, c'est avant tout le Christ en gloire ou souffrant qu'il s'agit d'adorer et la Vierge entourée de saints que nous sommes invités à aimer. La littérature, c'est l'amour, encore l'amour, toujours l'amour. On trouverait sans doute des livres et même des écrivains indifférents à l'amour. Mais bien peu. La poésie, le théâtre, le roman avec une évidence qui commence à lasser tournent autour de l'amour et se confondent avec lui.

On pourrait imaginer une sorte de saynète à l'usage des enfants des écoles ou une moralité dans le style du Moyen Âge. Aragon ouvrirait le bal et donnerait le ton général :

Je suis plein du silence assourdissant d'aimer.

Hugo entrerait au plus vite dans le vif du sujet :

Elle était déchaussée, elle était décoiffée,
Assise, les pieds nus, parmi les joncs penchants ;
Moi qui passais par là, je crus voir une fée,
Et je lui dis : Veux-tu t'en venir dans les champs ?

Elle me regarda de ce regard suprême
Qui reste à la beauté quand nous en triomphons,

Et je lui dis : Veux-tu, c'est le mois où l'on aime,
Veux-tu nous en aller sous les arbres profonds ?
. . . .

Elle défit sa ceinture
Elle défit son corset...

Puis, troublée à mes tendresses,
Rougissante à mes transports,
Dénouant ses blondes tresses,
Elle me dit : Viens ! Alors

— Ô Dieu, joie, extase, ivresse,
Exquise beauté du corps !
J'inondai de mes caresses
Tous ces purs et doux trésors

D'où jaillissent tant de flammes.
Trésors ! Au divin séjour
Si vous manquez à nos âmes,
Le ciel ne vaut pas l'amour.

Tristan et Yseult apparaîtraient soudain juste
à temps pour nous mettre en garde contre les
séductions de l'amour. À peine ont-ils bu le
philtre qu'ils prennent pour du vin et qui va les
enchaîner pour toujours l'un à l'autre que le nar-
rateur s'écrie :

Non, ce n'était pas du vin, c'était la pas-
sion, c'était l'âpre joie et l'angoisse sans fin
et la mort.

L'amour et la mort. Éros et Thanatos. Qu'y
a-t-il d'autre ? Nous naissons et nous mourons.
Entre la naissance et la mort, presque rien. Nous
prenons le métro, nous bâtissons des empires,
nous essayons de survivre, nous écrivons *La*
Divine Comédie, nous nous jetons dans la mer,
dans les plaisirs et dans la vanité. Et nous faisons
l'amour pour lutter contre la mort et la disparition. Comme la pensée, comme le mal, comme
le bonheur, la beauté et la justice, l'amour n'a
de sens que par et pour les hommes. Il est incarnation.

Depuis deux millénaires – un temps si long,
un temps si court –, l'amour est au cœur d'une
religion qui fait descendre Dieu parmi les
hommes. Le christianisme va assez loin dans
le culte de l'amour – de l'amour de Dieu et de
l'amour des hommes : « Aimez-vous les uns les
autres » et « *Ama et fac quod vis*. Aime et fais ce
que tu veux » et « Ce que vous aurez fait aux plus
petits de nos frères, c'est à moi que vous l'aurez

fait » et « Le royaume de Dieu est parmi vous ».
Dans la religion du Christ, l'amour des hommes
traduit et reflète l'amour de Dieu. Il est un autre
nom de l'amour de Dieu.

DIEU

« Il nous reste cinq minutes. Nous pourrions aborder le problème de Dieu. » La phrase en forme de provocation lancée par mon maître Jean Wahl à la fin d'un de ses cours il y a déjà de longues années m'est soudain revenue à l'esprit. Il nous reste quelques pages. Nous pourrions peut-être, nous aussi, parler un peu de Dieu. Avec humilité. Avec respect. Dans la crainte et le tremblement. Après lecture d'un de mes livres, vers la fin du siècle dernier, une dame inconnue et âgée m'avait écrit une lettre dont je me souviens encore : « On ne parle pas *de* Dieu. On parle *à* Dieu. »

Parler du temps était imprudent. Parler de la vérité n'était pas loin de l'imposture. Parler de la pensée n'avait rien de raisonnable. Parler de Dieu est une faute et une erreur. Dieu est ce qu'il y a avant, ou après, ou plutôt en dehors de cet espace et de ce temps qui sont les cadres de la pensée. Il est au-delà de notre pensée débile et de notre monde éphémère.

Qu'y a-t-il au-delà de cet univers dont notre pensée tente en vain de percer le secret ? Aux yeux au moins des hommes, au regard de ce monde, il n'y a rien. Dieu est ce rien qui, bien sûr, est aussi le tout. Puisque, avant et après l'espace et le temps, avant l'explosion primitive et le mur qui nous dérobe sa cause, après la mort pour chacun d'entre nous, le tout et le rien se confondent et sont indiscernables. Dans les premières pages de ce bref manuel avait déjà apparu l'hypothèse d'un Dieu tirant et ne cessant jamais de tirer le monde de rien, c'est-à-dire de lui-même – qui est tout.

Écoutons une fois de plus la belle prière de saint Grégoire de Naziance :

> Ô toi, l'au-delà de tout,
> Comment t'appeler d'un autre nom ?
> Quelle hymne pourra te chanter ?
> Aucun mot ne t'exprime.
> Quel esprit pourra te saisir ?

Tu es au-delà de toute intelligence.
Seul, tu es indicible
Car tout ce qui se dit est sorti de toi.
Seul, tu es inconnaissable
Car toute connaissance est sortie de toi.

De tous les êtres tu es la fin.
Tu es unique.
Tu es chacun et tu n'es personne.
Tu n'es pas un seul être
Et tu n'es pas l'ensemble de tous les êtres.

Tu as tous les noms.
Comment t'appellerai-je,
Toi, le seul qu'on ne puisse nommer ?
Ô toi, l'au-delà de tout,
Comment t'appeler d'un autre nom ?

Indicible, ineffable, innommé, inconnaissable, se confondant avec le rien, Dieu est toujours absent. Il n'intervient jamais dans nos affaires publiques ou privées. Il n'est pas, selon une formule mensongère et célèbre, du côté des plus gros bataillons : il n'est d'aucun côté. Il ne prend pas part à nos batailles. Puisque, dans les limites dont nous avons déjà parlé, les hommes sont libres de leurs choix, le plus sage dans la vie de chaque jour, même pour ceux qui croient en lui, est de toujours agir comme s'il n'existait pas.

L'homme ne peut rien faire de Dieu sinon se taire et l'adorer – ou alors le combattre et le dénoncer. Ce chapitre sur Dieu devrait être le plus long de tous, ou plutôt infiniment long, et le plus court de tous, ou plutôt infiniment court. Infiniment long parce que Dieu suscite, pour ou contre, les passions les plus violentes. Infiniment court parce qu'il est inutile de parler de lui s'il n'existe pas et impossible de parler de lui s'il existe.

Dieu existe-t-il ? Le débat ne sera jamais tranché, et il ne sera jamais clos. Des arguments sans fin ont été échangés entre partisans et adversaires de l'existence de Dieu. On dirait que Dieu – ou son ennemi et rival, le hasard organisateur – a veillé avec soin à la fragilité de toute décision et au triomphe de l'incertitude. Tout choix, dans un sens ou dans l'autre, comporte une part d'arbitraire.

Ceux qui croient à Dieu ont beaucoup de chance. Leur vie devient une lumière et une fête. Tout leur est gratitude et admiration. Leurs bonheurs sont heureux parce qu'ils annoncent un autre bonheur plus sûr que tous les autres.

Jusqu'à leurs souffrances qui prennent un sens – caché, bien entendu – pour devenir plus supportables. Leurs malheurs sont une promesse. L'amour de Dieu donne aux croyants la force qui soulève les montagnes. Dans les deux sens des mots : l'amour de Dieu qui descend de Dieu sur les hommes, l'amour de Dieu qui monte des hommes vers Dieu.

Cet amour est si fort, parfois si dévastateur, que le monde, pour les croyants, finit par ne plus compter au regard de l'éternité qui leur est assurée. Au nom de cet amour et pour lui, ils donnent leur vie avec joie. Les uns, dans la bienveillance pour leurs semblables, sont des victimes de la violence et des saints pour les leurs. Les autres, dans la violence et dans la haine pour les hommes, sont des assassins et des héros pour les leurs. Rien n'est plus redoutable que de prêter à Dieu les passions et les motifs d'action que nous nous sommes forgés nous-mêmes.

Nous savons déjà que l'enseignement du Christ unit l'amour des hommes à l'amour de Dieu. Les chrétiens vont jusqu'à croire que leur Dieu se fait homme. Non pour jouir de la vie, pour s'enivrer comme Dionysos, pour se mesurer aux vivants comme Apollon, pour séduire les créatures à la façon de Krishna ou de Zeus, mais pour partager de bout en bout les souffrances des hommes et la mort. Pour ceux qui ne croient pas au Christ, un homme se prend pour Dieu quelque part dans l'espace et le temps. Pour ceux qui croient au Christ, Dieu se change en homme quelque part dans l'espace et le temps. Aux yeux des disciples du Galiléen, la justice, la beauté, la vérité, l'amour sont incarnation parce que Dieu lui-même est incarnation.

Les chrétiens ont deux convictions, et peut-être seulement deux. Ils croient à Dieu comme source et comme sens de l'univers. Et ils croient à un homme nommé Jésus en qui leur Dieu s'est incarné et qui enseigne conjointement l'amour de Dieu et l'amour des hommes. Puisque Dieu a choisi, dans sa puissance et dans sa gloire, de prendre visage humain, un peu de la dignité divine est descendue sur ses créatures. Dieu se confond avec l'homme. L'homme se rapproche de Dieu. Le christianisme est une théologie, mais il est aussi un humanisme.

Le catholicisme – auquel j'appartiens, ou prétends appartenir – s'efforce, sous l'autorité de l'Église et des papes, d'unir, tâche difficile et proprement infinie, une tradition deux fois millénaire – ce qui est beaucoup et très peu – à un souci de renouvellement et à une attention croissante à la marche de l'histoire.

Des premiers conciles traités ouvertement de « brigandages » par leurs contemporains à l'Inquisition et à la persécution des juifs, des hérétiques, des Albigeois, des protestants, de la légende de la papesse Jeanne à la simonie, à la violence, aux crimes et aux aventures rocambolesques des Borgia, l'histoire de l'Église et de la papauté, qui compte autant d'épisodes consternants et sinistres que de pages de générosité et de gloire, a été l'objet de critiques véhémentes et souvent justifiées. L'Église est composée de créatures soumises, comme toutes les créatures, au hasard, aux tentations, à la médiocrité, à l'orgueil, à l'erreur. Elle a donné des exemples innombrables de faiblesse et d'indignité. Des preuves innombrables aussi de grandeur et de magnificence. De la chapelle Sixtine au *Miserere* d'Allegri, des églises romanes et des cathédrales gothiques aux cantates de Bach et à tant de *Gloria* et de *Requiem*, des fresques et des diptyques sans nombre aux milliers d'*Annonciation* et de *Crucifixion*, la peinture, la sculpture, l'architecture, la musique, tous les arts doivent beaucoup à la foi chrétienne et plus particulièrement à l'Église catholique. Et de tous les enseignements qui ont été prodigués tout au long de l'histoire, c'est la doctrine de Jésus qui a agi avec le plus de force, de bonheur et de continuité sur l'esprit et le cœur des hommes.

Personne n'a jamais rien su de Dieu, personne n'en saura jamais rien. Tout ce que nous pouvons faire c'est *croire* qu'il existe, d'une façon ou d'une autre. « Croire » est un mot bien faible dont toute certitude et tout savoir sont exclus. « Espérer » est plus fort. En ce qui concerne ce Dieu inconnu dont nous ne pouvons rien savoir et dont il n'est pas permis de parler, croire se résume peut-être à espérer. Jésus, lui, a vécu parmi les hommes, dans l'espace et dans le temps, et chacun peut le connaître et l'aimer. J'aime et j'admire Jésus, ses paroles, son action. Et j'espère qu'il y a un Dieu.

Si exister signifie être entré dans ce monde passager et quadrillé que nous appelons réalité et qui n'est peut-être qu'un long rêve, une illusion continue et cohérente, Jésus *existe*. Dieu n'*existe* pas. Il est plus proche d'une pensée sans limites, d'un esprit universel, d'une équation mathématique exhaustive et impossible que de ces hommes et de ces femmes auxquels il a permis d'exister et qui n'existent que par lui. Il n'existe pas : il est. Et comme la justice, la beauté, la vérité, l'amour, il s'est incarné parmi les hommes.

De cette justice, de cette beauté, de cette vérité, de cet amour, nous ne connaissons que des reflets, des traces, des fragments. Ce qu'il y a de plus grand, de plus beau, de plus vrai dans notre monde imparfait et voué à disparaître vient d'ailleurs et de plus haut. Platon avec ses Idées, saint Augustin, Descartes, Leibniz, Kant, Kierkegaard, Bergson, Teilhard de Chardin, d'une certaine façon Heidegger ne nous enseignent rien d'autre. C'est cette origine, dissimulée à nos sens et à notre pensée, que les philosophes appellent la transcendance. Disons-le sans fard. Ne tournons pas autour du pot. Je crois à une transcendance que nous avons le droit et l'habitude d'appeler Dieu et qui donne enfin un sens à l'univers et à notre vie.

Dieu est invraisemblable. Mais il n'est pas plus invraisemblable que cet univers qui nous paraît si évident et qui n'en finit pas de me remplir de stupeur et d'admiration. Tout est mystère autour de nous, à commencer par cet espace dont l'expansion se poursuit sous nos yeux et par ce temps dont nous ne savons rien. Avec sa rigueur et sa beauté, avec cet élan perpétuel vers quelque chose d'inconnu, avec notre passé qui, comme Dieu, est à la fois là, quelque part, et toujours dans l'absence, le monde n'est que mystère. Un mystère sans avenir et qui ne fait que passer. Dieu aussi est un mystère. Un mystère à jamais. Un mystère qui ne passe pas.

Confondu, dans notre misère, à la fois avec ce que nous appelons le tout et avec ce que nous appelons le rien, Dieu est un mystère lumineux qui prend sur lui tous les mystères et toutes les souffrances des hommes pour les changer en espérance. Qu'il *existe*, comme on dit, ou qu'il n'existe pas, loin au-dessus – et pourtant tout proche – de chacun d'entre nous et d'un univers en sursis où ne règne rien d'autre, au loin, qu'une mort qui finira bien par détruire tout ce qui aura existé, Dieu, absent et présent, est notre unique espérance. Et, en vérité, dans la beauté, dans la joie, dans la justice, dans l'amour, la seule réalité.

Œuvres de Jean d'Ormesson (suite)

Bibliothèque de la Pléiade

ŒUVRES

Ce volume contient : Au revoir et merci – La Gloire de l'Empire – Au plaisir de Dieu – Histoire du Juif errant.

Aux Éditions Julliard

L'AMOUR EST UN PLAISIR.

LES ILLUSIONS DE LA MER.

Aux Éditions J.-C. Lattès

MON DERNIER RÊVE SERA POUR VOUS, *une biographie sentimentale de Chateaubriand.*

JEAN QUI GROGNE ET JEAN QUI RIT.

LE VENT DU SOIR.

TOUS LES HOMMES EN SONT FOUS.

LE BONHEUR À SAN MINIATO.

Aux Éditions Grasset

TANT QUE VOUS PENSEREZ À MOI (*Entretiens avec Emmanuel Berl*).

Aux Éditions Nil

UNE AUTRE HISTOIRE DE LA LITTÉRATURE FRANÇAISE, tomes I et II (« Folio », *n° 4252* et *4253*).